JN094327

99%の人が知らない「話し方」のコツ

「声」と「伝え方」で印象は決まる

司 拓也

SOGO HOREI PUBLISHING CO., LTD

まえがき

「あなたには話す才能がある」


そのことを伝えたくて、この本を書きました。

そんな才能なんてあるわけないと、信じられないかもしれません。

これまであなたがうまく話せなかったのは、誰からも声の出し方や、話し方をきちんと習ってこなかったからです。

小学校、中学校、高校と、国語の時間を思い出してください。文章の読解や朗読はあったでしょうが、どう話せば伝わる話し方になるのか、どんな声で話せば聞き返されないのか、どう話せば相手が興味を持ってくれるのか、どう伝えれば人を動かせるのか、きちんと教わった人は少ないのではないでしょうか。

ではなぜ、学校の先生が、話し方や声の出し方に関して、あまり深くは教えないのでしょうか。それは先生自身が教わったことがないからです。

安心してください。いまからでも遅くはありません。

本書では、ボイストレーナー、話し方トレーナー、メンタルトレーナー、整体師として、声、話し方、メンタル、体のプロフェッショナルである私が、学校では教えてくれない「声の出し方、話し方」をお伝えします。

●コミュ障だった会社員時代

もともと私は、普通の会社員（保険会社の総合職）として働いていました。そんな私が人に話し方や声の出し方を教えるようになったのは、私自身、話し方、声の出し方に、ずっとコンプレックスを抱え続けていたからです。

・向こうから歩いてくる知人や友人、上司を見ると、何て声を掛けていいかわからず、心臓がバクバクする。
・プレゼンをすれば、「声が聞こえない」「届かない」「説得力がない」「話がだらだらしている」「面白くない」「眠くなる」と言われる。
・人の目を見て話せない。話すときにアタフタしてしまい、「何を言いたいのかわからない」と言われる。いじめられる。いじられる。

・超氷河期とはいえ、300社近くの就職面接を受け、落ち続ける。

・会社人時代は、顧客からのクレームが絶えない。何回「担当を変えろ」と言われたかわからない。

・そんな自分を人に見せるのが嫌で、極力人との会話を避ける毎日。

なんとか自信を取り戻そうと話し方の本を読み漁(あさ)って、そこに載っているロールプレイ形式の会話例を暗記してみたり、メンタル系の怪しいセミナーに参加して、相手の心を読む方法をマスターしようと学んだりしました。

結果はまったく出ず、むしろ混乱してしまいました。人と話すこと自体が怖くなり、ますます話すことへの苦手意識が強まりました。

声からアプローチすると、早く、無理なく変われる

そんなとき、ふと参加したセミナーの講師の話し方で、気付いたことがありました。

特別にすばらしい内容を話しているわけでもないのに、心にスッと入ってきて、最

後には魂が揺さぶられるような感動を覚えたのです。

なぜあんなに感動したのか、帰り道に分析してみました。まずわかったのは、声のすばらしさでした。セミナー開始直後の第一声が、何とも心地よく耳に飛び込んできて、もっとこの人の話を聞いてみたいと思ったのです。話す内容をより引き立たせる声の音量の上げ下げ、高低の使い分け、スピードの緩急（かんきゅう）の付け方、間の取り方。すべてに魅了されました。

それまで、私は話し方のテクニックばかり学ぼうとしていました。しかし、そもそも話す内容をいくら磨いても、聞いていられない声だったり、そもそも声が小さくて相手に届いていなかったりすれば、意味がありません。

大きく通る声、響きのある声を使って、伝えたいことを最大限に価値あるものに仕上げていくスキル。自分に欠けていたのはそれかもしれない。声を磨けば一歩前に進めるかもしれない。

そう考えて声のトレーニングを始めたところ、目に見えて成果が出始めました。

・それまで話を聞いてくれなかった相手から、返事が返ってくる。

・クレームになりそうな強面（こわもて）のお客様から、クレームが来なくなる。
・指示したことが1回で通って、思い通りに人が動いてくれる。
・講師を務めた教育研修のアンケートで、「わかりやすい」「聞きやすい」と評価される。

声のトレーニングに効果を感じた私は、話し方も変えていきました。

それまで、頭に浮かんだ言葉を何となく口に出すというスタイルでした。どうしても考えながら話すので、言葉に詰まってモゴモゴとした声になります。「えー」「あのー」ばかりの、わかりにくい話し方になっていました。

それに、それまで自分が話したいことを一方的に話していたのを、相手の注意をこちらに向け、興味を持って聞いてくれるような話し方に変えました。

事前に「考えて」「準備して」話すスタイルに変えたことで、お客様、代理店、上司などから、「わかりやすい」「理解しやすい」「面白い」「役に立つ」「聞きやすい」「説得力がある」などの、褒（ほ）め言葉をいただけるようになったのです。声を変えて、その後に話し方を変えたことで、一気に「伝える力」が強くなったと言えると思います。

●声が変わると人生が変わる

私には確信を持って言えることがあります。

それは、「まずは声を変えることで、話し方は絶対に向上する」ということ。

ここ数年、セミナー、講演、研修で一般の方向けにボイストレーニングをお伝えする機会を、たくさんいただいています。その中で多くの方が話すことに対しての苦手意識を持っていることを実感します。

そうした方にアンケートを取ると、約8割の方が自分の声に自信を持てないと答えています。

話し方に自信が持てないなら、まずは自分の声に自信を持てるようにしてください。

それが話をする上での大きな武器になります。話の中身に自信がなくても構いません。

まずは大きく通る堂々とした声で話すだけで、あなたの価値は上がります。

なぜなら、その声を聞いた相手は、あなたから自信を感じ取るからです。大きく堂々とした声で話すだけで、小さな声で話すよりも自信があるように見られる。これはアメリカの大学の研究でも明らかになっている事実です。

●真面目にがんばっている人には報われてほしい

真面目にがんばっている人が、口で負けることなく、正当な評価を受ける世の中になってほしい。自分の活動を通して、このことを実現したいと強く願っています。

本書を手に取ってくださった方は、伝えることに関して、不器用だけれども、真面目で一生懸命に取り組んでいるのだと思います。しかし、そんな人ほど、口達者(くちたっしゃ)で狡猾(こうかつ)な人に口で負けてしまったり、手柄を横取りされてしまったりする傾向にあります。

それは非常に残念なことです。私も同じ経験をしてきました。そんな過去の自分と同じ悩みを抱えている人の役に立ちたい。それが本書を書いたいちばん大きな動機です。

本書では、第1章、第2章で相手を惹き付ける魅力的な声の出し方を、徹底的にマスターしていただきます。1日たった3分で自信を感じさせる声が手に入ります。

次に第3章、第4章ではコミュニケーション、プレゼン、スピーチなど、仕事上、プライベート上の悩みを、「話し方」を身に付けることで解決していきます。

一冊を読み終え、トレーニングを終えたとき、必ずあなたの人生が変わる手応えを感じていただけるはずです。

さあ、声や話し方で不利益を受けるのは、いまこの瞬間終わりにしましょう。自分の魅力を余すところなく相手に伝えることのできる世界に、あなたをお連れします。楽しみながら取り組んでみてください。

トレーニング動画の ご案内

本書のトレーニングの一部には、
映像を見ながら行ったほうが
わかりやすいものがあります。
そちらには動画をご用意していますので、
併せてご覧ください。

＼このマークが目印！／

動画をご覧になるには、
次のURLよりアクセスしてください。
また、QRコードからも
簡単にアクセスできます

https://tsukasataku.com/page-902/

99%の人が知らない「話し方」のコツ 「声」と「伝え方」で印象は決まる もくじ

人の印象の4割は声が決める

第2章 「いい声」は1日3分でつくれる

困ったときの声の出し方話し方

第4章 いざというときに使えるテクニック

第1章

人の印象の4割は声が決める

ある日、僕のスクールに
「あきら君」という青年がやって来ました。
自分の声について悩みがあると言います。
ちょうどいいので、彼とのやり取りを通して、
みなさんにボイトレの魅力を
伝えることにします。
声に対してどんな悩みや疑問があるか、
考えながら読んでみてください。

なぜ相手に話が伝わらないのか

あきら君、こんにちは。ボイストレーナーの司拓也です。

こんにちは。なんだか緊張します。よろしくお願いします。

声について悩んでるってことだけど、どんなことに悩んでるのかな？

人と話すとよく聞き返されるんです。あまりに多いので、自信がなくなってしまって……。それに最近、上司に「**何が言いたいのかわからない**」って言われます。

そうか。いつ頃からそんな感じなんだろう。

子どものときからですね。親にも消極的だとか内気だとか言われてきました。

相手に話が伝わらない原因ってなんだと思う？

なんでしょうか。話し方の本を何冊か読んだけど、効果をあまり感じられなくて。もしかして、ほかに原因があるのかもと思ってひらめいたのが「声」なんです。

言いたいことが伝わらない原因はいろいろ考えられるけど、まずは声だね。例えば大きく通る声で話す人と、ボソボソと話す人がいたとして、話している内容が同じなら、どっちの話が伝わると思う？

大きく通る声の人だと思います。

そうだね。いくらいいことを言っていても、何を言っているか聞こえなければ意味がないよね。聞き取りやすい声と聞き取りくい声があるなら、聞き取りやすい声のほうが有利だね。

僕の声は聞き取りにくいんですね……。

いま聞く限り、あきら君の声や話し方で、いいなと思ったことが2つあるよ。

なんですか？

声の質と、丁寧さ。とても優しい声をしているね。きちんと言葉を選んで一生懸命伝えようとする姿勢も、とてもいい印象を受けるよ。

……お、お世辞ですか？

そんなことはないよ。僕は本当のことしか言わない。

そう言ってもらえるとうれしいです。

さらによくなる改善ポイントは3つ。

なんですか？　なんでもやります！

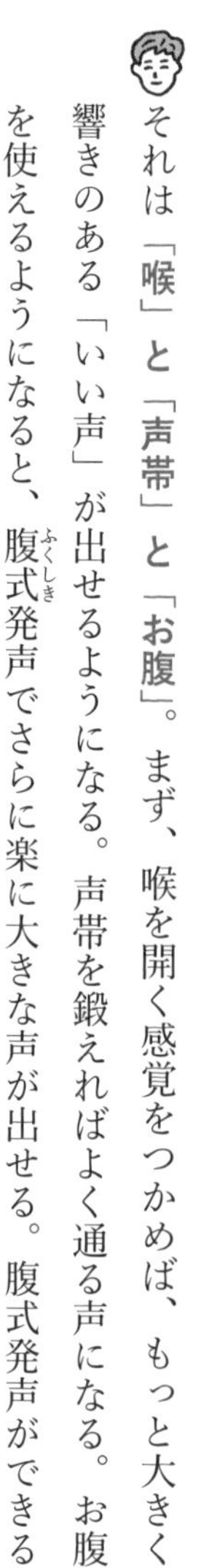

それは「**喉**」と「**声帯**」と「**お腹**」。まず、喉を開く感覚をつかめば、もっと大きく響きのある「いい声」が出せるようになる。声帯を鍛えればよく通る声になる。お腹を使えるようになると、腹式（ふくしき）発声でさらに楽に大きな声が出せる。腹式発声ができると緊張も取れるようになるよ。

そうなんですね。僕にできるでしょうか……。

大丈夫。僕はこれまで6000人以上に教えてきたけど、みんな変化している。**大事なのはやる前から「できないかも」って考えないこと**だ。まずはマインドセットが大事。あらためて聞くけど、君は本当に変わりたいかい？

変わりたいです！　いや、変わります！

その調子だ。**声は脳や心の影響をダイレクトに受ける**。マイナス思考や否定的な気持ちでボイトレをすると、喉も開かないし、声帯もリラックスして動いてくれないんだ。

わかりました！　とにかくやってみます！

素直さもあきら君のすばらしいところだね。じゃあ一緒にがんばっていこう。

よろしくお願いします！

外見と同じくらいに声は大事

みんな自分の体形や外見には気を使うのに、声には気を使わないと思わないかい？

そうですね。みんなダイエットやファッションの話はするけど、自分の声について話している人って少ないかも。

アナウンサーさんとか声優さんとか、声を仕事にしている人でなければ、意識しないのが普通だね。「なんだか最近自分の声のトーンが暗いから、もっと明るく話さなきゃ」「早口で話しすぎている気がするから、注意が必要だな」なんて考えないよね。

僕も昔はあまり気にしていませんでした。仕事で聞き返されたり、上司に指摘されるようになってから、気になりだしました。

例えば仕事のプレゼンとか、結婚式のスピーチとか、自分が話しているところを動画に撮ったことはないかい？

あります！　プレゼンであまりに声が小さいと上司に言われるので、録画してみたらマイクに全然音が拾われていなくて……。自分の声を聞くのって、超イヤです。なんて情けない声なんだ！　って自己嫌悪に陥ります……。

アメリカの心理学者、アルバート・メラビアンは、「メラビアンの法則」の中で、コミュニケーションのどんな要素が相手に大きな影響を与えるのかについて解説しているんだ。どんな要素だと思う？

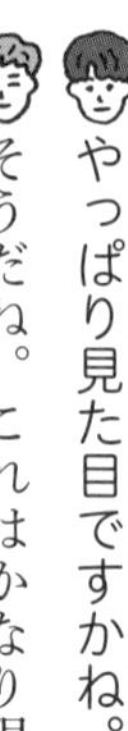

やっぱり見た目ですかね。

そうだね。これはかなり限定した状況下での法則だけど、人が他人に与える印象を決める要素には「３つのＶ」があるというんだ。

3つのVですか？

そう。メラビアンは実験を通して、人に与える印象は「視覚情報（VISUAL）」が55％、「聴覚情報（VOCAL）」が38％、「言語情報（VERBAL）」が７％だと結論付けた。つまり、**他人への印象を決める要素の4割近くが声**だということだ。服装や表情と同じくらい声の印象は大事なんだ。

すごい！　そんなに声の影響は大きいんですね。

正確に言うと、言葉の内容と表情や声質に矛盾がある場合、聞き手は言葉と表情のどちらを重視するか、という実験なんだけどね。

ふむふむ。

もう少し具体的な話をしてみよう。あきら君が営業マンで、何か商品を売っているとする。ライバル会社のB君も同じ品質の商品を売っている。あきら君はボソボソと自信なさげに商品説明をした。その後に、B君が堂々と自信のある声で商品説明をした。商品の品質もさほど変わらないとしたら、どっちが売れるかな？

間違いなくB君ですね。

そうだね。もちろん、君がお客さんのために一生懸命準備したことは無駄じゃない。聞こえづらかったけど、緊張しながら必死に伝えようとする気持ちをお客さんは汲み取ってくれるかもしれない。でも、確率的にはB君が選ばれるよね。

はい。例え話なのに少し落ち込みました……。やっぱり、大きく通る声でハキハキと話すほうが、信頼されると思います。

そうだね。僕が言いたいのは、それだけ準備にエネルギーを注いだのなら、きちんと**聞いてくれる人たちに思いや情熱が届く声で話さなければ、もったいない**ということなんだ。

声はトレーニングで変えられる

でも、声って生まれつきのものですよね。トレーニングですぐ変わるものなんですか？

もちろん！　**トレーニング次第で声はいくらでも変えられる。**ちょっと想像してみて。「前向き」「エネルギーがある」「明るい」「物怖(お)じしない」みたいな、ポジティブな印象を持たれる人は、どんな話し方をするだろう。

声が大きく、堂々とした話し方だと思います。

そうだね。反対に、「おとなしい」「何を考えているかわからない」「自信がなさそう」「覇気がない」と思われている人は？

ボソボソとした声で、よわよわしい話し方をする人だと思います。僕もそんな風に思われているのかな……。

「**世の中、声が大きいやつが勝つ**」という言葉があるけど、ある意味真実だよね。どんなに理路整然とした話をしていても、どんなにすばらしいアイデアでも、声が小さいだけでネガティブな印象になってしまう。

そうですね。話す中身が大したことなくても、声が大きくて堂々としていると、その人自身も堂々として見えそうです。この人、大したことは言ってないけど、これだけ堂々と話しているんだから間違いないだろう、みたいな。

君のように声で悩みを抱えて、自信がなかなか持てない。変わりたいけど変われない人に、僕がボイストレーナーとして、またメンタルトレーナーとして10年以上教えてきたノウハウを伝授しよう。特にこんな悩みを抱えている人におススメだ。

こんな悩みに効く!

- □「声が小さい」と言われることが多い
- □話している途中によく聞き返される
- □「何を言っているかよくわからない」と言われたことがある
- □「君には覇気がないね」とよく言われる
- □「滑舌が悪い」と言われたことがある
- □人前で話すことに苦手意識がある

□声を出すのが苦手
□初対面の人から軽んじられることが多い
□顔と名前を覚えてもらいにくい
□人と話をするときに声が震えてしまう
□会議やプレゼンではいつもドキドキしてしまう
□スピーチは緊張して仕方がないので、可能であれば断りたい

僕、全部当てはまってるかも……。もしこの悩みが全部なくなったら、バラ色の未来が待っている気がします。

声は潜在意識に直接飛び込む

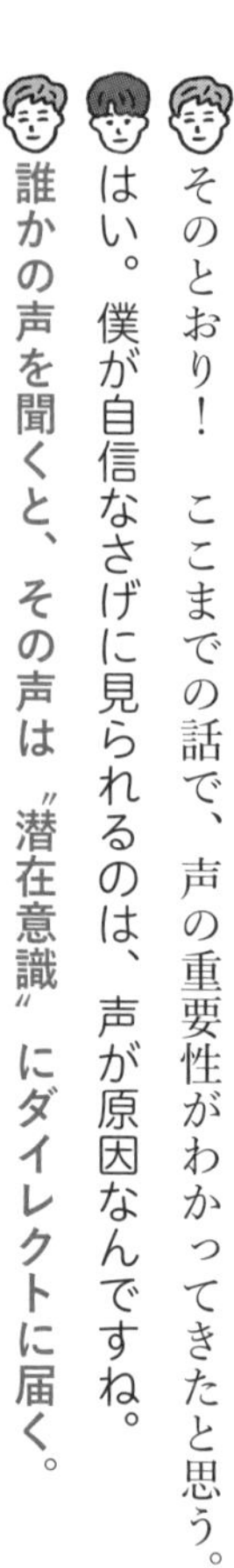

そのとおり！　ここまでの話で、声の重要性がわかってきたと思う。

はい。僕が自信なさげに見られるのは、声が原因なんですね。

誰かの声を聞くと、その声は〝潜在意識〟にダイレクトに届く。

いきなり難しい言葉が出てきましたね……。潜在意識って無意識ということですか？

そう。いま君が認識できている君自身は、たった3％にすぎない。

3％？　少なすぎません？　あとの97％はどこに行っちゃったんですか？

その97％が潜在意識だ。普段、いろいろな物事についてどう判断するか、どう感じるかを、潜在意識が決めていると言ってもいい。言い換えれば、潜在意識には過去の経験や記憶がすべて詰め込まれているということだね。そしてその使命は1つ。君の命を明日も生き延びさせるということだ。

へー……。そうなんですね。なんとなくわかりますけど、それと声とどう関係があるんですか？

例えば初対面の相手の印象をどう決めるか。まずは見た目だ。相手を見てあいさつして、きちんとした服装をしているか、変な武器を持っていないか、いろいろな視覚的情報で判断するわけだね。

『人は見た目が9割』なんて本がありましたね。

それで見た目が大丈夫そうなら、次は声だ。**相手の声を聞いた瞬間、潜在意識は見た目と声にギャップがないかを判断する。**

見た目と声のギャップってどういうことですか？

例えば、いかつい顔で体もごついのに、声がやたらと優しい。すると不信感や警戒心が出てくる。

なるほど。それは確かにおかしいと感じますね。

この人は敵か、味方か。命を脅かす相手かそうでないか。仲良くしていい相手なのか、騙そうとしていないか。それを判断するために、脳は過去の記憶や経験が詰まっている潜在意識に瞬時にアクセスする。君の命を守るために、潜在意識はあらゆる情報を総動員して判断を下すんだ。

潜在意識、大事ですね。

これが身なりがまともで、しっかりと自信のある声だとしたらどうだろう。

合格です。もっとこの人と話をしたいと思います。

そうだね。怖いことを言ってもいいかい？

え！　なんですか？　いきなり。ビビらせないでくださいよ。

声は君の過去そのものだ。君がこれまで過ごしてきた過去の経験や記憶の集大成と言える。いま君が自信のない声で話しているなら、君のこれまでの人生のほとんどは、自信を持てるような出来事のない日々だった。相手の潜在意識はそう判断してしまう。

うう……。それって、どうがんばっても覆らないんですか？

いまのままならね。でも君は変わりたいと思ってここに来たんだろう？

はい。そうです。さっき絶対変わると決心しました！

その心意気だ。いまの君の声、自信と勇気が伝わってきたよ。

本当ですか！　確かに一瞬体に自信がみなぎった気がします。

いまのような声で毎日過ごせたとしたらどうだろう。

自信のある自分でいられる気がします！

そうだね。ここで自分の潜在意識に目を向けてみよう。**潜在意識は繰り返すと習慣化するという特徴も持っている。**つまり、自信のある声で話し続けたらその声は定着するということだ。

いま一瞬宿った自信も、習慣化するってことですか？

そのとおり！　心をいきなり変えるのは難しいけど、自信なさげな声を、自信みなぎる**声に変えることは難しくない！**

どんな自分に変われるか、めちゃくちゃ楽しみになってきました！

間違ったボイストレーニングも多い

ボイストレーニングに興味が湧いてきたかな?

はい。早く学びたいです！

オッケー。でも焦（あせ）る必要はない。世の中にはいろいろなボイトレ法がある。トレーニングに入る前に、避けたほうがいい練習法について話しておこう。

僕もいくつか試しましたけど、あまり効果は感じられませんでした。

そう。**案外、自分に合わないトレーニングを間違った方法で取り入れてしまう人が多**いんだよ。

ネットとか本に書いていることは、すべて正しいと思ってました。

もちろん正しい情報もあるけど、誤解を与えてしまう情報も多い。やっぱり、実際にたくさんの人を教えてきて、その上で効果的で安全だったと言えることが大切だ。逆に喉を傷めて、余計声が出なくなってしまうケースもあるんだ。

それは困ります……。

「お腹に力を入れて声を出す」の間違い

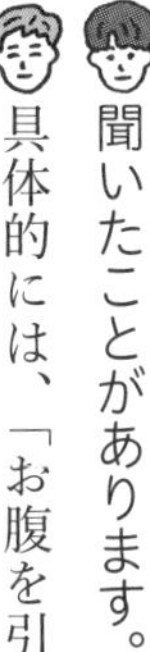

まずは「腹式呼吸」についての間違いだ。代表的な発声のアドバイスに「お腹に力を入れて声を出しましょう」というものがある。「丹田（たんでん）に力を入れて」と言う人もいるね。

聞いたことがあります。

具体的には、「お腹を引っ込めて、おへその辺りを押さえながら声を出す」と指導するんだ。

それのどこがいけないんですか？

常に緊張を抱え込みやすい人には、お腹に力を入れるような発声方法は向いていない。お腹だけに力を入れたつもりでも、上半身が緊張してしまう。それが喉や舌にも伝わって、出したい声が出なくなってしまう。

喉を無理に使ってしまうことになるんですね。

腹式呼吸は声を出す上で非常に重要だけど、おへそではなく、みぞおちの辺りにある横隔膜（おうかくまく）を使うイメージが大事なんだ。これは後で教えていくよ。

「息をたくさん吸って大きな声を出す」の間違い

わかりました。気をつけるようにします。ほかにどんな誤解があるんですか？

「息をたくさん吸って吐きながら声を出すと、大きな声が出せる」っていうアドバイスも多い。

僕が読んだネットの記事にも書いてありました。これも間違いなんですか？

息をたくさん吸ったからといって、大きな声は出ないんだよ。息を吸いすぎると軽い過呼吸状態になる。それで筋肉がこわばってしまうんだ。軽い酸欠状態にもなって、頭が真っ白になってしまう。話そうとしていたことを忘れたり、頭が回らなくなってパニック状態になってしまったり。

僕にも経験があります。しっかり話そうと思っても息が止まってしまった感じで、どんどん声が出なくなって、もっと焦って頭が真っ白になって……。

吸い込む空気はピンポン玉1つくらいのイメージで十分だよ。

そんなに少ないんですね。

ピンポン玉1つ分くらいの空気をそっと吸い込んで、みぞおちを1センチほどポコッと前に膨らませる。息を吐きながら、みぞおちをさらに前方に膨らませて声を出すイメージだよ。

なんだか難しそうです。

大丈夫。これも言葉で説明したり、意識してやろうとしたりすると難しいけど、自動的にできるようになるトレーニング法がある。

それなら安心ですね。

「大きく口を開けて大きな声を出す」の間違い

「大きく口を開けると大きな声が出る」。これも誤解されやすいアドバイスだね。

え!? ダメなんですか? 口を開けないと声が出ませんよね。

そりゃそうなんだけど、だからと言って大口を開ける必要はまったくない。アナウンサーさんも、そんなに大きく口を開けてニュースを読んでいるわけじゃないだろう?

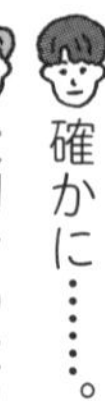

確かに……。

大切なのは口を大きく開けるのではなく、喉の奥に広い空間を保つこと。つまり喉を開いた状態で話をすることなんだ。

喉を開く？　具体的にどうやるかイメージできません。

大丈夫。これもしっかりと身に付くトレーニング法を後で教える。キーワードは「あくび」だ。

あくびですか⁇

「早口言葉で滑舌（かつぜつ）トレーニング」の間違い

次は滑舌のトレーニングについての誤解だ。

僕は滑舌が悪くて、国語の朗読がとにかく嫌いでした。みんなに笑われたことも数え切れません。

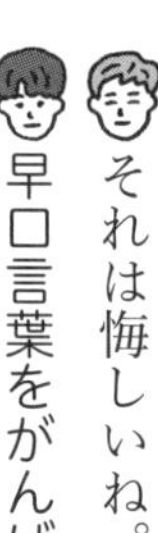

それは悔しいね。

早口言葉をがんばって練習したけど、効果は実感できませんでした。

そう。滑舌をよくするための練習として、よく「早口言葉をしましょう」と言われるけど、僕はあまりおススメしない。アナウンサーさんみたいにプロの話し手であれば必要な技術かもしれないけど、一般の人には必要ない。**早口言葉は滑舌をよくするのではなくて、言ってみれば、早口になるためのトレーニング**だ。

確かに、そんなに早口で話す機会なんてないですよね。

早口になると、余計に相手に理解されづらくなって、聞き返されることも増えてしまう。

なるほど。スイスイと話せればいいってわけでもないんですね。

もともと早口の人が、さらに人前に立って、緊張感がプラスされればどうなる？

もっと早口になってしまいそうです。

それに、早口で話をすると交感神経が優位になる。結果、心拍数が上がって呼吸も早くなる。

ますます緊張感が高まってしまいます。

そうして言葉につっかえたり、どもったり、同じフレーズを何度も言ったり、聞き苦しい話し方になってしまう。滑舌が悪い人ほど、ゆっくり落ち着いて話をすることが大事だ。その上で、後で紹介する滑舌トレーニングを試してみてほしい。

言われてみれば、自信があるように見える人は、ゆっくりと落ち着いた話し方をしているように思います。

注意してほしい発声法はこんなところかな。

わかりました！

声の印象を決める5つの要素

ここからは、声や話し方がその人の印象をどう決めるかについて、もう少し詳しく説明していこう。まず、**声の印象は5つの要素と、その組み合わせで決まる。**

5つ？　どういうことですか？

次の表は声のスピードと高さで印象が変わることをわかりやすくしたものだ。自分がどんなキャラクターで話したいかを決めるときに参考になると思う。

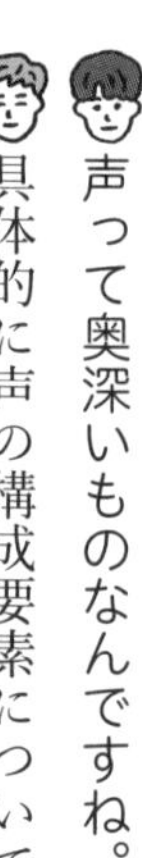
声って奥深いものなんですね。

具体的に声の構成要素について説明していこう。いい声になるためには、5つの要素

声の高さとスピードで分類した声から受ける印象

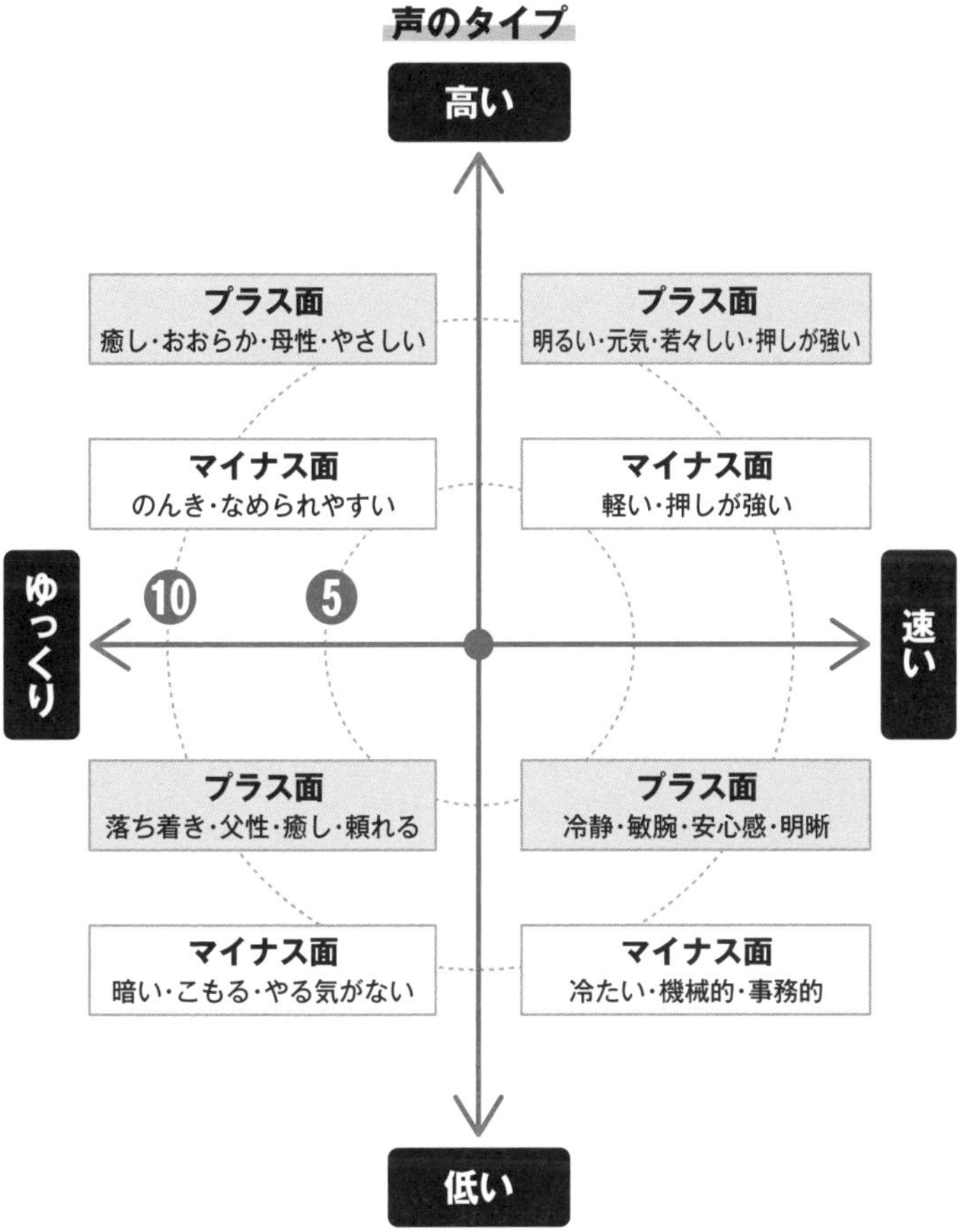

声のタイプ

高い

プラス面
癒し・おおらか・母性・やさしい

マイナス面
のんき・なめられやすい

プラス面
明るい・元気・若々しい・押しが強い

マイナス面
軽い・押しが強い

ゆっくり

10

5

速い

プラス面
落ち着き・父性・癒し・頼れる

マイナス面
暗い・こもる・やる気がない

プラス面
冷静・敏腕・安心感・明晰

マイナス面
冷たい・機械的・事務的

低い

がある。①声量、②スピード、③高低、④間(ま)、⑤声色(こわいろ)。ちょっとお勉強っぽくなるけど、知っておいて損はないから聞いてほしい。

はい！

●①声量

声量とは、声の大きさや音圧のことをいう。大きい声ではっきりと会話ができれば、人から言葉を聞き返されることもないし、自信がない人だと思われることも減る。

あこがれます！

僕のスクールに来る人の約8割が、声が小さいという悩みを抱えている。

やっぱり多いんですね。

まず知っておいてほしいのは、**強くて大きな声を出してさえいればいいってわけじゃ**

ないってことだ。

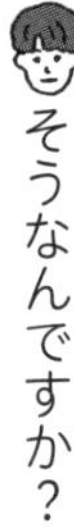
そうなんですか？

テレビやラジオでも、音量が大きすぎれば騒音になってしまうよね。ただ大きいだけの声を出している人がいたらどうだろう。

「うるさい人だな」「大きくて耳障りな声だな」と思います。

大切なのは、相手や状況によって、声の音量を使い分けられるようになることだ。

そうか。**声のボリュームを使い分けることが大切**なんですね。

●②スピード

次に、話をするときの速度だ。

僕は焦ったり緊張したりすると早口になってしまいがちです。ゆっくりと落ち着いて話せるようになりたいです。

そうだね。早口だと聞いている人にとっては情報量が多くなりすぎて、理解されない可能性もある。逆にゆっくりすぎると、話がテンポよく進まないね。

自分の話すスピードが適切かどうかって、どうやったらわかりますか？

その目安を知るために、次の例文を読んでチェックしてみよう。タイムウォッチで時間を計ってみて。

例文

ある朝、グレゴール・ザムザが気がかりな夢から目ざめたとき、自分がベッドの上で一匹の巨大な毒虫に変ってしまっているのに気づいた。彼は甲殻のように固い背中を下にして横たわり、頭を少し上げると、何本もの弓形のすじにわかれてこんもりと盛り上がっている自分の茶色の腹が見えた。腹の盛り上がりの上には、かけぶとんがすっかりずり落ちそうになって、まだやっともちこたえていた。ふだんの大きさに比べると情けないくらいかぼそいたくさんの足が自分の眼の前にしょんぼりと光っていた。

「おれはどうしたのだろう？」と、彼は思った。夢ではなかった。自分の部屋、少し小さすぎるがまともな部屋が、よく知っている四つの壁のあいだにあった。

『変身』フランツ・カフカ　訳：原田義人（青空文庫）

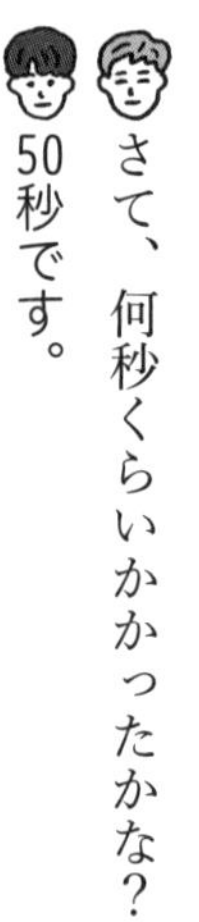

さて、何秒くらいかかったかな？

50秒です。

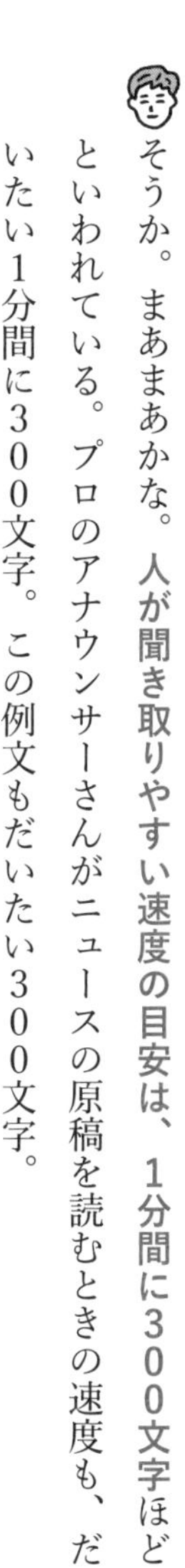

そうか。まあまあかな。**人が聞き取りやすい速度の目安は、１分間に３００文字**ほどといわれている。プロのアナウンサーさんがニュースの原稿を読むときの速度も、だいたい1分間に３００文字。この例文もだいたい３００文字。

意外とゆっくりなんですね。

普通に読んで60秒前後だった人は、普段から理想的なスピードで話をできていると思っていい。

ちょっと速かったです。

40秒くらいで読んじゃう人も多いんだ。少し注意すればよくなるよ。逆に60秒より遅い人は、少しペースアップすることを考えてみるといいね。

この例文でスピードの練習をしてみます！

ただし、**プレゼンやセミナーで話すときには、もう少し速いほうがいい。**１分間に３５０文字から４００文字のペースだ。

なぜですか？

目的の違いかな。プレゼンやセミナーでは聞き取りやすい話し方をする必要もあるけど、目的は仕事を取ることだ。ある程度速めのスピードで話すほうが、エネルギーの高い人間と見られる。

なるほど。確かにデキるビジネスマンは少し早口なイメージがあります。

聞いている人が意味を理解できるギリギリの速さで話す練習をすることで、自然とエネルギーのある話し方に変わる。これは訓練が必要だけど、知っておいてほしいね。

● ③高低

声の高さや低さは、その人の印象に大きく影響するよ。

これは感覚的にもわかりやすいですね。

「うれしい」「楽しい」といった感情を伝えるときは、高い声のほうが伝わりやすい。きれいなものやラグジュアリーなものを表現するときも、高い声のほうが華やかな印象を与える。

僕は低くて落ち着いた声になりたいです。

低い声は「落ち着き」「安定」などといった印象を感じさせる。確かにビジネスシーンでは、低い声を出している人のほうが、相手から信頼感を得られることが多いね。

でも、だからといって、自分の声帯や体格に合わない声を出す必要はない。喉を壊すよ。

そうなんですね……。

無理に低音を出さなくても、落ち着いた印象で話す方法はある。それも後で説明するから安心して。

わかりました！

● ④間（ま）

「間」っていうのは、話をしている中で、わざと声を発しない時間のことだ。**無音をうまく生かすことで、声がより生かされる。**

「間」か。意識したことはありませんでした。逆に間がないほうがいいんだと思ってました。

間を入れずに早口で流れるように話してしまうと、相手にとっては聞き取りにくい上、どこも強調されないから話のポイントがわからない。それに合いの手を打ったり、質問を挟んだりする隙もなくなってしまう。

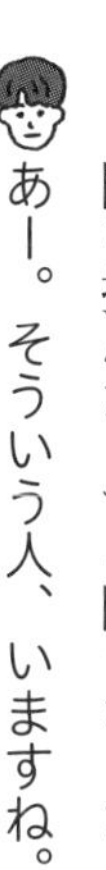

あー。そういう人、いますね。

間を入れずに話をする人は、「協調性のない人」「自分の言い分ばかりを主張する人」だと思われる。最悪、「やましいことを隠そうとしているのかな」と疑われかねない。

テレビの謝罪会見とかでも、間がない人は反省していないように感じます。

間は自分の印象を左右する要因になり得るということだね。

でも、どれくらいの間を空ければいいんですか？

いい質問だね。間を効果的に使うために、間の持つ2つの特性を知っておこう。

2つの特性？

そう。まずは「**理解の間**」だ。人が物事を理解するスピードには、当然ながら個人差がある。専門用語がたくさん飛び交うような会話や、少しマニアックな会話などは、自分にとっては当たり前でも、相手からするとまったく理解不能なこともある。相手の反応をきちんと見て、理解できているかを確認する間が必要だ。

なるほど。間があることで、**聞き手がいま聞いた話を整理することができる**わけですね。そのタイミングに質問することもできます。

もう1つが、「**強調の間**」。相手に真剣に聞いてほしいときや、注目してもらいたいときに使う間だね。

あ！　中学校のとき、クラスがうるさくなると話すのをやめる先生がいました。それで不思議とみんな静かになっていました。

なるほど。上手な間の使い方だね。話している人が突然沈黙すると、「一体何が起きたのだろう？」と不思議に思って、みんな注意を向ける。

これは簡単ですね。試してみよう。

間を取るタイミングは、「自分が強調したい単語や文の直前」がいちばん効果的だ。例えばこんな感じ。

強調の間

今日、私が言いたいことはただ1つ、
…………
おめでとう!!　っていうことです。

確かに、ぐっと引き込まれる感じがします。

●⑤声色

最後が声色だ。温かい声、優しい声、冷たい声など、声から受けるその人のいまの感情や性格を表現するものだね。

ちょっと難しそうですね……。僕はいつも淡々と話してしまう癖があります。

大丈夫。最初は複雑に感じるかもしれないけど、トレーニングで使いこなせるようになる。また弱気になってるね。

そうでした！「できないかも」って考えないことが大事！

声色は、声の表情とも言える。感情豊かな声を身に付ければ、自然と感情が豊かな人に変身することができるよ。

そうなりたいです!!

ボイトレの意外な効果

ボイトレには、単に声や話し方がよくなるだけではなく、体調が整うようになるなど、意外な効果もいろいろある。トレーニングに入る前に説明しておこう。

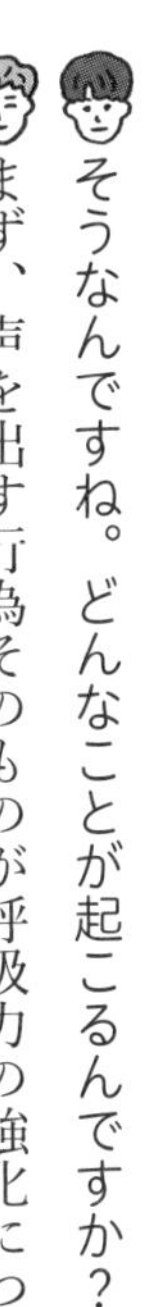

そうなんですね。どんなことが起こるんですか？

まず、声を出す行為そのものが呼吸力の強化につながる。発声は呼吸を伴う行為だからね。話していて声の音量が上がらない、イントネーションが思うように付かない、といった症状がある場合、「発声のための呼吸機能」の低下が原因と考えられる。ストレスで息を詰めた生活を送っている人に多いね。

ストレスを感じることはよくあります……。確かに、なんとなく呼吸が浅いんです。

ボイトレをしっかり行うことで、**発声のための呼吸機能の維持や向上**が期待できる。深い呼吸もできるようになるよ。

なるほど。ほかにも期待できることはありますか？

いい声を出すためには姿勢が重要だ。姿勢を整えるトレーニングには、**体の無駄な緊張を取って、リラックスできるようになる**効果もある。肩こりや首こり、腰痛が和ら（やわ）いだと言ってくれる生徒さんも多い。

僕も肩こりがひどいので、それはうれしいです!!

さらにボイトレは脳にも働き掛ける。**ボイトレによって脳の活動が高まるんだ。**

どういうことですか？

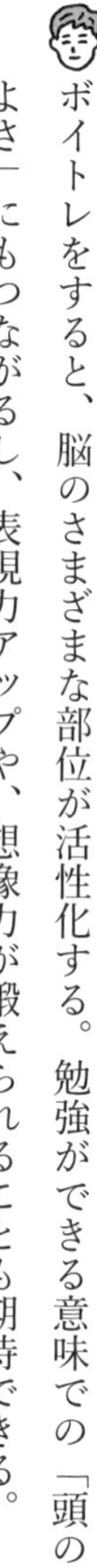

ボイトレをすると、脳のさまざまな部位が活性化する。勉強ができる意味での「頭のよさ」にもつながるし、表現力アップや、想像力が鍛えられることも期待できる。

頭までよくなるなんてすごいですね！

ほかにも、ボイトレでは**嚥下（えんげ）機能の回復も図ることができる。**

嚥下って、食べ物を飲み込むことですよね。

そう。高齢者になると、口の筋肉や舌の動きが弱まることで、嚥下機能が低下して誤嚥してしまうことがあるんだ。そうして食べ物が気管に入ってしまうと、肺に炎症が起きてしまう。それが原因で起こるのが「誤嚥性肺炎」だ。

聞いたことあります。怖いですね。

ボイトレは口や舌の動きを鍛えることにもなる。その結果、食べ物をうまく飲み込めるようになって、誤嚥性肺炎を防ぐこともできる。

なるほど。ボイトレはお年寄りにもおススメなんですね。

ボイトレで自律神経が安定する

ボイトレの効果の中でも特にうれしいのが、**自律神経が整うようになることなんだ。**

自律神経って、最近よく聞きますね。

自律神経は、血流をコントロールする役割を担っている。血流がよくなると、免疫力もアップし、体の調子が整う。これが乱れると、イライラしたり鬱（うつ）になったり、免疫力が落ちて風邪を引きやすくなったり、とにかくいいことがない。

それがボイトレで整うんですか？

そう。実際にレッスンを受講してもらった人からも、風邪を引きにくくなった、鬱の症状が楽になった、イライラが減ったという報告がたくさんあるんだ。僕自身も、ボイトレを学ぶまでは1年に何度も喉風邪を引いていたんだけど、激減したね。

それはすごいですね。でもなぜボイトレで自律神経が整うんですか？

その説明の前に、まず自律神経には2種類あることを説明しておこう。「交感神経」と「副交感神経」だ。交感神経は、血管を収縮させ、血圧を上げる働きを持っている。

生きていく上で欠かせない機能だけど、交感神経が優位になりすぎると、緊張や興奮状態を導いてしまう。

それは困りますね。

そこで副交感神経の役割が大切になってくる。副交感神経は血管を緩ませ、血圧を低下させる働きを持っている。副交感神経が優位に働くと、リラックスを導いてくれるんだ。

現代人はストレスが多いから……。

そう。みんな緊張や不安、怒りといったストレスフルな環境の中で、交感神経優位の生活を送っている。その結果、副交感神経のレベルが下がっている人がとても多い。

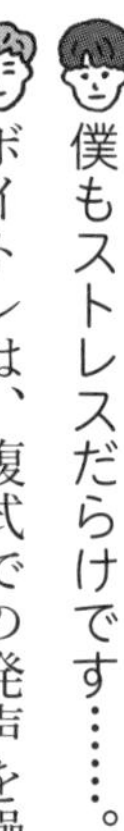

僕もストレスだらけです……。

ボイトレは、腹式での発声を繰り返し行う。**腹式での発声は、副交感神経を優位に働かせてくれるんだ。**

なるほど。だから自律神経が整うんですね。

ボイトレであがり症から抜け出せる

次に伝えておきたいボイトレの効果が、**緊張から抜け出せる**ということ。

それがいちばん魅力的かもしれません。僕は人前に出ると、心臓がドキドキ、喉がカラカラ、頭が真っ白になってしまいます。完全にあがり症です。

それはもったいない。人前で緊張しやすい人が陥りがちな、声や呼吸の使い方がある。それを回避して、正しい声の出し方を心掛けるだけで、あがり症は改善するよ。

ん？　どういうことでしょうか。

人前であがるのは、脳が酸欠状態になっているからだ。心の状態、声、呼吸はすべて連動している。

はい。なんとなくわかる気がします。

人前に立って緊張するとき、君の喉はどんな感じになっているかな。

うーん……。喉が閉まっている感じというか……。

そう。緊張していればその状態のまま話さなければいけないわけだけど、言ってみれば、それは自分の首を自分で締めたまま話すのと同じこと。

緊張すると息苦しくなります。

それも当然。ちゃんと呼吸ができなくなると酸欠状態になって心臓がドキドキ、脳に酸素が行き渡らなくなって頭が真っ白。

ドキドキして頭が真っ白になるのは酸欠だったからなんですね……。

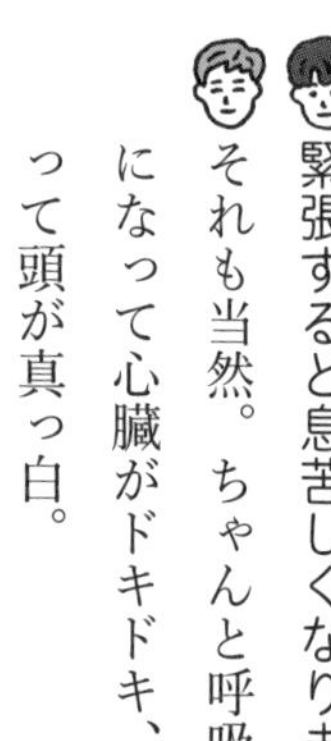

もっと悪いことに、そうしたことが繰り返されると、心の中で「自分はあがり症だ」「メンタルが弱い」というセルフイメージが出来上がってしまう。

そのとおりです。自分はなんて本番に弱いんだろう。ビビりなんだろうと情けなくなります。

緊張した場面でも呼吸が安定して、喉を開いた感覚で楽に声が出せる状態をつくることができると、相手に

緊張の負のスパイラル

喉が閉まる➡呼吸が苦しくなる➡心臓がドキドキする。頭に酸素が回らなくなり、頭が真っ白、考えられなくなる➡「自分はあがり症、メンタルが弱い、ビビり」と思い込む

伝わる声で堂々と話せるようになる。人前で話すことに苦手意識もなくなっていく。

夢みたいです。

声のトレーニングを行うことそのものが、実はあがり症をなくす、メンタルのトレーニングにもなっていることを知っておこう。

声や話し方が将来を決める

上手にプレゼンできるようにと思って、スティーブ・ジョブズや、孫正義さんのスピーチを動画で見たことがあります。どうやったらあんなに自信たっぷりに話せるようになるんでしょうか。

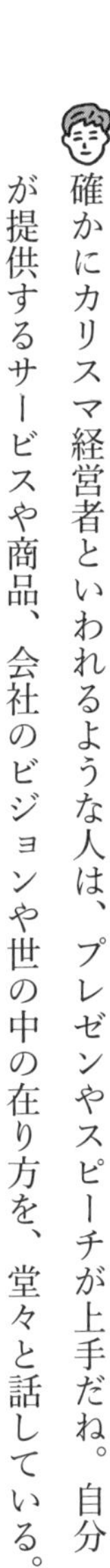

確かにカリスマ経営者といわれるような人は、プレゼンやスピーチが上手だね。自分が提供するサービスや商品、会社のビジョンや世の中の在り方を、堂々と話している。

生まれつきの才能があるから、あんなスピーチができるんでしょうか。

そんなことはない。確かに彼らの商品やサービスは世の中を変えるようなすばらしいものだけど、もし彼らがプレゼンで、モジモジと消極的な態度や声で話をしていたら、聞いている人はどう思うだろう？

「大したことないかも」と思ってしまうかもしれませんね。

エネルギーのある声で話せないと、「自信がない人」という印象を与えてしまう。彼らはそのことを知っているんだよ。こもった声や小さい声で話すということは、「自分はエネルギーのない人だ」とアピールをしているようなものだ。

孫正義さんは業績の悪化を報告するときも、堂々としていました。これからのビジョンを明確に話していて、「大丈夫！ これから巻き返しを図る。見ていてくれ！」という気概を感じました。

声や話し方には、自社の将来を決定付けるくらいの影響力があるということだ。

本当ですね！ 僕も一流のスピーチができるようになりたいです。

ボイトレでやる気や自信が生まれる

僕のクライアントさんの中には、一流商社の役員さんや、大手企業の社長さん、県知事、市長、大学教授、弁護士さん、月9ドラマにも出演した俳優さん、人気アニメの声優さんなどなど、いわゆる社会的ステータスが高い人や、専門職の中でも超一流といわれる人がいる。

そんな人たちでもトレーニングするんですか？

彼らは何時間もかけて、話す内容だけでなく、どう伝えるかの準備をしているんだ。カウンセリングをすると、ほとんどの人が自分のことをこんな風に表現する。「小心者」「緊張しやすい」「ビビり」「メンタルが弱い」「頭が真っ白になったことがある」「喉が詰まって声が出なくなる」。

意外です。自信満々な人ばかりと思っていました。

彼らは**自分が弱いということを知っているんだ**。それを克服するためには手を打たなければダメだと、危機感をもって必死に準備をしている。

僕もがんばらないと！

特に声のトレーニングを入念にする人が多い。というのも、**話す内容は時間をかけて準備すればなんとか形にはなる。でも、声はハッタリが効かない**。しっかりとトレーニングをしないと、せっかくの内容が過小評価されてしまう。

彼らは話しているとき、緊張や不安を感じないんでしょうか。

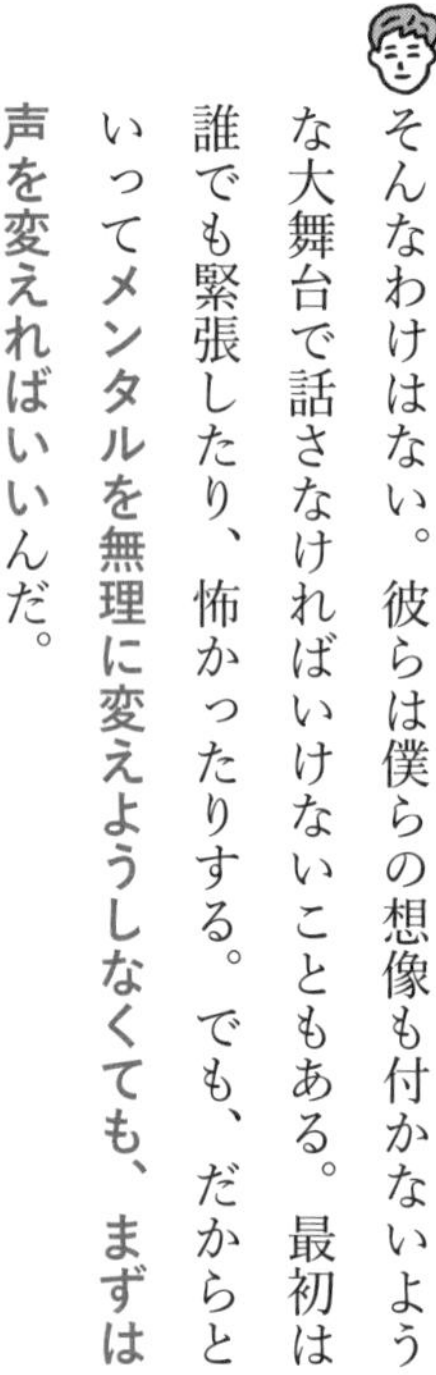
そんなわけはない。彼らは僕らの想像も付かないような大舞台で話さなければいけないこともある。最初は誰でも緊張したり、怖かったりする。でも、だからといって**メンタルを無理に変えようしなくても、まずは声を変えればいいんだ。**

声を変えればメンタルも変わっていくということですか？

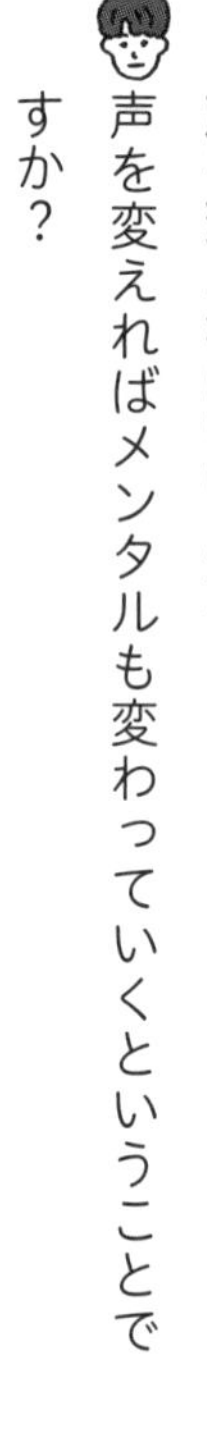
そう。さっきも言ったけど、声を出すトレーニングを通じて、脳の機能がアップする。頭の回転が速くなる感覚だ。するとスムーズに言葉が出てくる。さらに、自信のある声で話し続けることで、自分の心にはある意識が芽生える。

どんな意識ですか？

「堂々と話せているのは、自信があるからなんだ」と考えるようになるんだ。「ニワトリが先か、卵が先

緊張の正のスパイラル

緊張する➡緊張している自分を受け入れる➡喉が開いた状態で話す➡緊張していてもきちんと話せる➡場数を踏むと緊張感も減っていく➡緊張していてもちゃんと話せる自分に、自信が持てるようになる

か」みたいな話だけど、これを〝**セルフフィードバック効果**〟という。ボイストレーニングを通じて、自分の性格をプラスに導き、やる気や自信を生み出すきっかけにしてほしいね。

わかりました！　がんばります！

第2章

「いい声」は1日3分でつくれる

あきら君はボイトレに対して
やる気になってくれたようです。
本章では、いよいよ具体的な
トレーニングに入っていきます。
どれも簡単なものばかり。
基本的なトレーニングは1日3分、
20日間でＯＫです。
みなさんも早速試してみてください。
すぐに効果を実感できるはずです。

「いい声」とはどんな声か

いよいよ本格的にトレーニングスタートだ。「いい声」をつくるボイストレーニングをわかりやすく紹介していこう。

いい声って具体的にどんなイメージなんでしょうか。

いい声の定義は人それぞれだけど、僕の生徒さんからアンケートを取ると、こんなリクエストが多い。

いい声とは

・聞き返されない、大きくて通る声
・緊張していても、自信を持って話しているように見える声
・何時間話しても喉が痛くならない声
・しっかりとお腹から出せている声（腹式発声）
・怒りや不安のマイナス感情で心が揺れ動いても、落ち着いて話せる声

・信頼、安心感を届けられるような響きのある声
・異性からモテる声
・うるさいと思われない、聞きやすい声
・滑舌よく話せる声
・柔らかくて優しい感じの声

いろいろなニーズがあるんですね。僕は全部欲しいかも……。

そういう人も多いよ。シチュエーションごとに出てくる悩みはさまざまだからね。

こんなにたくさんの悩みを一気に解決できるトレーニングをしていくわけですね。やっぱり難しそうです。

大丈夫。僕はいつもシンプルなトレーニングを心掛けている。**たった3つのことをするだけで、声の悩みは自然と解決していくんだ。**最初に話した「喉」と「声帯」と「お腹」だね。

それだけで？　詳しく教えてください！

①喉を開く

まずは喉について。よく響く、いい声を出すためには、喉を開いて話す感覚が大切だ。そのためには音が喉の奥で共鳴するように、喉の奥のスペースを大きく取る。

喉の奥にスペース。具体的にはどうしたらいいんですか？

軟口蓋（なんこうがい）を上げ、舌の付け根を下げる意識を持つことだね。

うーん。なんだかイメージができません。

まあ、わかんないよね。誰でもできるように、この後説明していく。「喉が開く感覚」がきちんと身に付くよ。

よかった！

②声帯の筋トレ

次に声帯。声帯は、息を音に変えてくれる楽器の役割をする筋肉だ。左右に開くカーテンだとイメージしてみて。声を出すときには声帯が閉まり、そのスキマを息が通り抜けることで音が出る。これを「原音」というんだけど、口に上がってきた原音が口の形や舌の動かし方によっていろいろな声になるんだ。**声帯の動かし方をきちんと理**

解して動かせるようになると、声を自在に操れるようになる。

声帯の働きって大事なんですね。

超一流のアナウンサーさんや、声優さんにも試してもらって効果は実証済みだ。安心して取り組んでほしい。

●③お腹の使い方を知る

最後にお腹ですか。お腹をどう使うんでしょう。

お腹、言い換えると横隔膜を大きく動かすことができれば、声帯に安定した量の息が**送り込まれる。それでしっかりとした声を出すことができるんだ。**横隔膜っていうのは肋骨の下の内側にある大きな膜状の筋肉だ。

はい。でも実際に話すときにいちいちお腹のことを気にするのは難しそうです。

いいところに気が付いたね。いったん横隔膜を大きく動かす感覚をつかんだら、横隔膜のことは忘れて話す内容に集中することだ。

そのためのトレーニングということですね。

そう。それから、すべて腹式発声で話をする必要もない。日本語は基本的に胸式(きょうしき)発声といって、浅い呼吸でも話せる言語なんだ。英語は腹式で発声したほうが伝わりやすいといわれているけどね。

じゃあなんで腹式発声が大事なんですか？

声は声帯だけで出すわけではないんだ。大きく通る声で話したいときは、横隔膜を使って話したほうが楽。**声に悩みを抱えている人のほとんどは、横隔膜を使いたくてもその感覚が鈍化してしまっていて、うまく使えていないんだよ。**

鈍化？　もともとはうまく使えていたってことですか？

そう。赤ちゃんの泣き声ってすごくよく通るだろう？　あんなに小さい体なのに。不思議に思ったことはないかい？

なるほど！　赤ちゃんの泣き声は腹式発声なんですね。

そのとおり。大きい声や通る声を出そうとするとき、本当は横隔膜を自動的に使えるんだけど、ストレスや姿勢の悪さ、長年の胸式発声の癖で使えなくなっている人が多い。でもこれから行うトレーニングをしっかりとマスターすれば、声の音量のコントロールができるようになる。さらに、さっきも言ったけど、**腹式の発声は自律神経を安定させてくれるから、あがり症も改善される。**

最初は喉を開くことから

3つのトレーニング、すぐにやってみたいです！　最初は何からやっていけばいいですか？

まず取り組んでほしいのが「喉を開くこと」だ。音量が小さい、話しているときに声が震えたりかすれたりする、喉が痛くなる。それから、さっき説明したように喉が詰まって、酸欠でドキドキするのも喉が開いていないことが原因だ。

一気にたくさんの悩みが解決できますね。

そう。赤ちゃんの腹式呼吸の話をしたけど、赤ちゃんが大きな声で泣けるのは、喉を開いているからでもある。赤ちゃんでもできるんだから簡単だよ。

でも、なんで大人になるとできなくなるんでしょうか。

恥ずかしいとか、プライドとか、大きな声を出すと迷惑になるんじゃないかとか、頭でいろいろ考えるからだと思う。

思い出しました。子どもの頃、大きな声で騒いでいたら、親に思いっきり怒られました。子どもも心に大きな声は悪いものだって思い込んだのかもしれません。

そう。子どもの頃に声を出すことへの恐怖感や不安が植え付けられると、大きな声を出そうと思っても、喉が閉まってしまうんだ。でも大丈夫。一度覚えてしまえば、意識せずとも喉を開くことができるようになる。

「喉を開く」ってわかるようでわからないというか……。どういうことなんでしょうか。

そうだね。まず、**ただ単に口を大きく開けるのではない**ってことを覚えておこう。喉の奥のスペースを大きく開けるという感覚だ。

うーん……。意識したことがないですね。

大きな声を出すには、声帯の振動を口の奥の空間に共鳴させて、響かせることが大切なんだ。喉の奥にスペースがないと、十分に共鳴させることができない。これまでに多数の生徒さんを教えてきた経験から言うと、9割の人は喉を開くことができていないんだよ。

9割も？　でも、大きな声の人って結構いますよね。

それは無理に出しているだけ。喉が開いていない状態で大きな声を出そうとすると、声帯や喉に無駄な負担がかかる。アナウンサーさんや声優さん。大声で説明しなければばいけないスポーツインストラクターの人。表面的に大声は出ているんだけど、喉が開いていないまま無理に声を出そうとしてしまう。ひどくなると、声帯ポリープを患（わずら）う人もいるんだ。

そこまでひどくなるんですね。だから、まずは喉を開くことが大切なんですね。

そう。それに喉を開いておけば、大量の息を吐き出すことも、少量の息を使って声を出すことも自在にできる。

声の大きさを自在に変えられるということですか？

そう。ただ、喉を開くという体験したことのない人にとっては、この感覚はわかりづらいと思う。感覚をつかむため、次のトレーニングをしてみよう。

やってみます!!

いい声トレーニング①
大きく通る声が出せるようになる「あくび発声法」

喉を開く感覚を最もわかりやすく感じられるのが、「あくび」だ。

「あくび」って眠たいときに出る、あの「あくび」のことですか？

そう。

あくびと発声法がどう関係するんでしょうか。

あくびをしているときは、みんな自然とリラックスして喉が開いているんだよ。そのときが、「喉の奥に大きな空間ができている＝喉が開く」感覚なんだ。ちょっとあくびしてみて。

はい！　……と言われても、すぐには出ないです。

口を開けて待っていると自然に出てくるよ。どうしても出なければ「ふぁ〜」っと、**あくびのフリをするだけでもいい**よ。

「ふぁ〜〜〜」。確かに喉がリラックスしているように感じます。

そうだね。この発声法なら、喉に負担をかけずに、喉を開くことができるようになる。喉、首、肩、顔の筋肉に力が入っていないかを確認してみてほしい。リラックスが大事だね。

はい。「ふぁ〜〜〜」。

僕が教えるボイトレでは、徹底して「体の力を抜いて声を出すこと」を大切にしている。真面目で向上心の高い人ほど、「トレーニング」を意識して体に力が入ってしまいやすいんだ。

確かに、力を抜けと言われても難しいです。

そう。そもそもあくびは体をリラックスさせる動作だね。だからあくびがおススメなんだ。

なるほど。あくびをするとスムーズに力が抜ける気がします。

●あくび度数100%

まず、予行演習だ。あくびをしながら、「ふぁ～」と大きな声を出してみようか。

さっきみたいに、あくびのフリでもいいってことですね？

そう。それでもあくびの仕方がわからないという人は、手の平に温かい息を「は～」と吹き掛ける動作や、

息で手を温めるイメージ

窓ガラスに「は～」と息を吹き掛けて曇らせる動作でもオッケーだ。じゃあ、**3回繰り返してみよう。**

「ふぁ～」「ふぁ～」「ふぁ～」……。なんだか本当にリラックスして眠くなってきました。

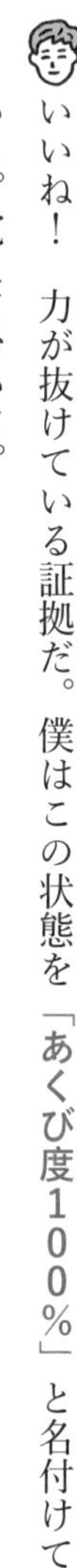

いいね！　力が抜けている証拠だ。僕はこの状態を**「あくび度100％」**と名付けている。覚えておいて。

「あくび度100％」。わかりました！

次に、「あくび度100％」の感覚で、短い文章を読むトレーニングだ。例文1を3回繰り返して読んでみよう。

例文1

おはようございます。
ありがとうございます。
お疲れ様でした。

おはようございます。ありがとうございます。お疲れ様でした。おはようございます。ありがとうございます。お疲れ様でした。おはようございます。ありがとうございます。お疲れ様でした。

どうだい？

喉に負担がかからない気はしますが、何言ってるのか聞き取れないいんじゃないですか？こんなので本当に大丈夫なんですか？

焦らない、焦らない。ボイトレは少しずつ進んだほうがうまくいく。せっかちは禁物だ。信じてついてきて。

わかりました！　次はどうしますか？

次は「あくび度１００％」の感覚のまま、少しだけ長い文章で練習をしてみよう。例文2を、これも3回繰り返す。

あくびの感覚のままで

例文2

おはようございます。
本日の朝礼を始めてまいります。
今週も1週間よろしくお願いします。

おはようございます。本日の朝礼を始めてまいります。今週も1週間よろしくお願いします。おはようございます。本日の朝礼を始めてまいります。今週も1週間よろしくお願いします。おはようございます。本日の朝礼を始めてまいります。今週も1週間よろしくお願いします。こんな感じでいいですか？

●あくび度数50％

ばっちりだ！　では次。**あくび度数を「１００％→50％」へと下げてみよう。**

あくび度数を下げる？　何言ってるんですか？

完全なあくびの状態が「あくび度数１００％」。言葉の輪郭がはっきりしていない状態だったよね。喉の感覚はそのままでいい。**言葉の輪郭だけを、さっきよりもクリアにはっきりとさせるイメージ**だ。

「おはようございます」。こんな感じですか？

そうそう。人が聞いたときに言葉の意味を把握できるギリギリくらいにはっきりと。あくびをしているときの喉の感覚はそのままで、声のイメージだけはクリアにということだね。

自分で自分の声を聞けるといいんですけど。

いいことに気付いたね。このトレーニングは録音して自分で聞きながらするといい。

いまはスマートフォンとかでも録音できますもんね。

では練習してみよう。さっきと同じ**例文1、例文2をそれぞれ3回ずつ繰り返してみよう**。

はい！　おはようございます――。

●あくび度数10％

いいね、その調子。じゃあ、最後に、「あくび度数10％」でやってみよう。例文はさっきと同じだ。

10％というと、普通に話しているのとほとんど同じ？

この段階までくると、言葉の輪郭はかなりはっきりとしてくる。でもあくびの感覚を忘れないでということかな。

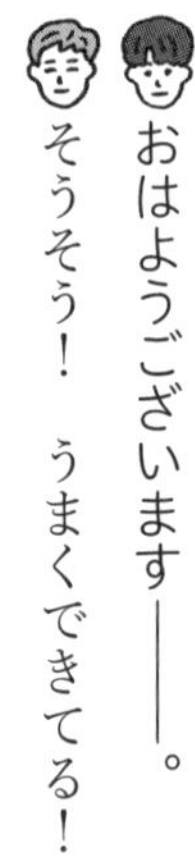

おはようございます——。

そうそう！　うまくできてる！

●どれくらい練習すればいい？

喉を開いて話す感覚が少しわかった気がします。さっきトレーニングはゆっくりしたほうがいいって教えてもらいましたけど、どれくらいのペースでトレーニングをすればいいですか？

1日1分、トータルで20日間続けてほしい。最初の10日間は「あくび度数50％」と「あくび度数10％」で例文1と2を読む。それぞれ1回8～10秒くらいだね。1分間だと3回くらい。最後の10日間は、「あくび度数10％」で例文2だけを読む。例文2だけだから5～6回くらいは読めるかな。

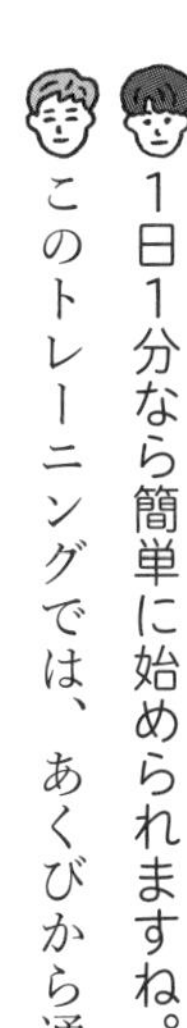

1日1分なら簡単に始められますね。

このトレーニングでは、あくびから通常の声に戻すのに慣れていくことで、頭でいろいろ考えなくても喉を開く感覚がつかめるようになる。

そうですね。頭で考えると緊張してしまいそうです。

基本はリラックス。繰り返しながら、自然と感覚をつかむのがいちばん身に付きやすいんだ。

ちょっと気になったことがあります。「あくび度数50％」でも十分喉が開いているような気がしたんです。声が響いたというか。「あくび度数100％」で話したら、言葉の輪郭がぼやけて通じません。「あくび度数100％」をする意味はありますか？

確かに、「あくび度数50％」だと、響きのある声になる。ただ、「あくび度数50％」では、若干だけど舌の付け根に力が残っている。その状態で奥の上あごを持ち上げ、口の奥を大きく広げて声を出しているんだよ。そのまま続けていくと、人によってはモゴモゴとしたこもった声や、音抜けの悪い声になる危険性がある。

なるほど。そうならないように、段階的に戻していくんですね。

そう。この一連のトレーニングをしていくことで、喉を開く感覚を持ったまま、通る声を出すことができるようになるんだ。

納得しました！

いい声トレーニング②
遠くまで届く通る声になる「ニャニャニャ発声法」

喉を開く感覚をつかんだ後に取り組むのは声帯の筋トレだ。ここで紹介するのが、「**ニャニャニャ発声法**」。

ニャニャニャ？　猫みたいですね。

そう。猫になって、**裏声に近いような、できるだけ高い音で「ニャニャニャ」と発声する。**口角を上げて声を出すことも大切。口角を上げることも喉が開くことにつながるんだ。それに、口を小さくしたり、横に引っぱりすぎたりしないこと。できるだけあごを縦に落として「ニャ」と発声するように意識しよう。

口角を上げて高い声で

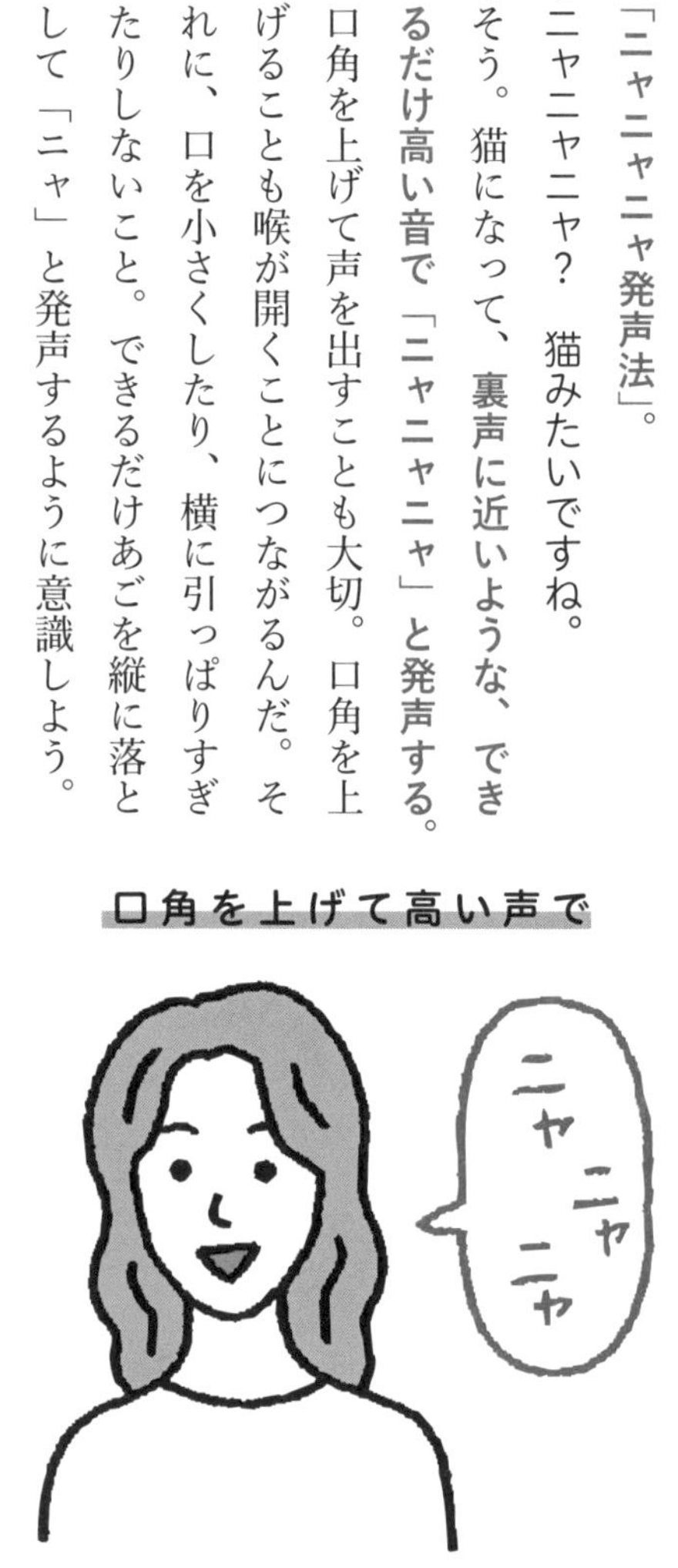

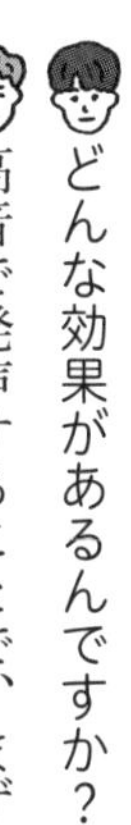

どんな効果があるんですか？

高音で発声することで、まず音抜けがよくなる。つまり**通る声になる**んだ。声がこもりやすい男性や、女性らしい声を出したいのに低い声しか出ないと悩む人には、特におススメだね。

僕も声がこもって暗く思われがちです。でも、どうして「ニャニャニャ」で声が通るようになるんですか？

「ニャ」と言うことで、舌が口の中で自然とお椀型になる。これが喉の開きやすい状態だ。高い音や通る声を出すことで、そうした声を出すときに使う声帯を鍛えることができる。

喉が開いて、声帯の筋トレにもなる。一石二鳥ですね。

まだあるぞ。**口角を上げてトレーニングするから、印象もよくなる。**さらに鼻が詰まりがちな人にも効果がある。日本人は鼻からの音の抜けを必要とする「鼻音（びおん）」や「鼻濁音（びだくおん）」が苦手といわれているけど、そういう声も出しやすくなるんだ。話す言葉全体が、明るく快活な声に変わるよ。

一石二鳥どころではないですね。やり方を教えてください！

●ウォーミングアップ

まずはウォーミングアップだ。**「ニャニャニャニャニャ」とニャを5回1セットとして、3セット発声**してみよう。

はい！　ニャニャニャニャニャ。ニャニャニャニャニャ。ニャニャニャニャニャ。

「これ以上もう高い声は出ない！」と思う声の、さらに2段階くらい高い声を出すつもりでやってみよう。では2回目！

ニャニャニャニャニャ。ニャニャニャニャニャ。ニャニャニャニャニャ。

口角を上げながら、下あごは真下に落とす感覚だよ。もう1回！

ニャニャニャニャニャ。ニャニャニャニャニャ。ニャニャニャニャニャ。

●短文トレーニング

いいね！　ウォーミングアップ終了。次は、「ニャニャニャニャニャ」の後に、すぐに例文を言うトレーニングだ。大切なのは、**「ニャ」と言っているときの喉の奥の感覚を維持したまま、例文を読む**こと。「ニャ」と例文を切り離さずに続けて読もう。

例文3

ニャニャニャニャおはようございます。
ニャニャニャニャありがとうございます。
ニャニャニャニャお疲れ様でした。

はい！　ニャニャニャニャおはようございます。ニャニャニャニャありがとうございます。ニャニャニャニャお疲れ様でした。

もう1回やってみよう。

ニャニャニャニャおはようございます。ニャニャニャニャありがとうございます。ニャニャニャニャお疲れ様でした。

オッケー、ラストだ！　だんだんと音が下がらないように。高い声を維持して！

はい！　ニャニャニャニャおはようございます。ニャニャニャニャありがとうございます。ニャニャニャニャお疲れ様でした。

いい感じだね。首や肩がリラックスできているのもいいね。

はい！　なんだかすごく声が通ってきた気がします！

● 長文トレーニング

よし、次は少し長い例文で練習だ。

例文4

ニャニャニャニャニャおはようございます。
ニャニャニャニャニャ本日の朝礼を始めてまいります。
ニャニャニャニャニャよろしくお願いします。

はい！　いきます！　ニャニャニャニャニャおはようございます。ニャニャニャニャニャ本日の朝礼を始めてまいります。ニャニャニャニャニャよろしくお願いします。

喉の奥は「ニャ」の感覚のままだよ。もう1回！

はい！　ニャニャニャニャニャおはようございます。ニャニャニャニャニャ本日の朝礼を始めてまいります。ニャニャニャニャニャよろしくお願いします。

いいね。ラスト！

口角もアップですね！　ニャニャニャニャニャおはようございます。ニャニャニャニャニャニャよろしくお願いします。ニャニャニャニャニャ本日の朝礼を始めてまいります。

完璧にできているよ。さらに声帯機能を高めて滑舌もよくするために、スピードアップして読んでみよう。

どれくらいの速さですか？

そうだね。**自分が出せる最速のスピードでいってみよう**。

はい！　ニャニャニャニャニャおはようございます。ニャニャニャニャニャニャよろしくお願いします。ニャニャニャニャニャ本日の朝礼を始めてまいります。

いいね！　もう1回！　早く読むことで、下あごを下げる動きが小さくならないように。

ニャニャニャニャニャおはようございます。ニャニャニャニャニャニャよろしくお願いします。ニャニャニャニャニャ本日の朝礼を始めてまいります。

ばっちり！　ラスト！　顔が怖いよ。リラックス、リラックス。

ニャニャニャニャニャおはようございます。ニャニャニャニャニャ本日の朝礼を始めてまいります。ニャニャニャニャニャニャよろしくお願いします。

「ニャニャニャ発声法」は以上だ。**最後に「ニャ」を言わないで、例文4を読んでみよう。**

おはようございます。本日の朝礼を始めてまいります。よろしくお願いします。

どうかな？　通る声を勝手に出せているんじゃないかな？

すごいです!!　これが喉を開いて通る声を出す感覚なんですね。

●どれくらい練習すればいい？

うん。とても通る声で、1音1音はっきり聞こえるよ。ただし、まだ瞬間的にできているだけだ。**体に定着させるには、やはり反復練習が必要だ。**

どれくらいやればいいですか？

これも毎日1分程度。例文4を読むのに、1回だいたい6〜8秒くらい。これを10回程度読むのを20日間続けてほしい。そうすれば声帯の使い方を体が覚えてくれる。

それくらいならできそうです！　やってみます！

いい声トレーニング③
腹式発声が身に付く「エアふうせんトレーニング」

さあ、いよいよ腹式発声のトレーニングだ。

子どものときから、「声が小さい！　お腹から声を出せ！」って言われていましたが、正直まったくわかりません。ストレスや不安にも効くんですよね！　絶対ものにしたいんです！

あまり気負いすぎないで。これもリラックスが大事だ。

そうでした。落ち着いて、落ち着いて。

大きな声を出すには、横隔膜を使うことが肝心だ。小さい声を出している人の多くは、この横隔膜が使いこなせていない。

横隔膜の場所ってどこですか？　いまいちわかりません。

みぞおちに握りこぶしを当てて、グッと中に押し込んでごらん。そのまま軽く咳をしてみて。

ゴホゴホ。あ、なんか動くのがわかります。

そう。その辺りが横隔膜だ。肺のすぐ下だね。この部位をうまく使った発声が、「腹式発声」といわれている。いろいろなやり方があるけど、僕のはすごくシンプル。その名も「**エアふうせんトレーニング**」だ。

楽しそうですね！　早速教えてください！

●エアふうせんトレーニング

まずは右手で握りこぶしをつくり、口元に当ててみて。**鼻から息を吸って、握りこぶしの穴の中に「フッ！」と力強く息を吹き込んでみよう。**

フッ！

穴の大きさは、ギュッと力強く握って、スッと力を抜いたときくらい。**直径でいうと5ミリくらい**かな。でも小指と手の平がくっ付いている部分は離さないようにして、

力強く息を吹き込む

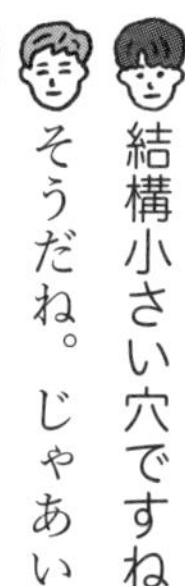

下から息が漏れないように。

結構小さい穴ですね。フッ！

そうだね。じゃあいまの3倍くらい強めに吹いてみて。

フッ!!

そう、その感じだ。今度は、「フッ！　フッ！　フッ！　フッ！　フーーー！」**と短く強く吐きながら「フッ！」を4回、最後の「フーーー！」で力強く長めに息を吹き込んでみよう。**途中で息継ぎはせずに、すべての息を吐き切る。息を吸った後からカウントして、5秒くらいで息を使い切るイメージだ。そのときに、**左手はみぞおちの上あたりに置いておく。**

わかりました。フッ！　フッ！　フッ！　フッ！　フーーー！

みぞおちの上に置いた左手で、前方にお腹が動いているのを感じられたらオッケー。横隔膜が使えている証拠だ。

フッ！　フッ！　フッ！　フッ！　フーーー！

もっと強くていいよ！　お腹が動いているのを感じるかい？　**最後のフーは、最初の「フッ！」の10倍くらいの勢いで、**力強く吐いてみよう。ではこれを3セット繰り返

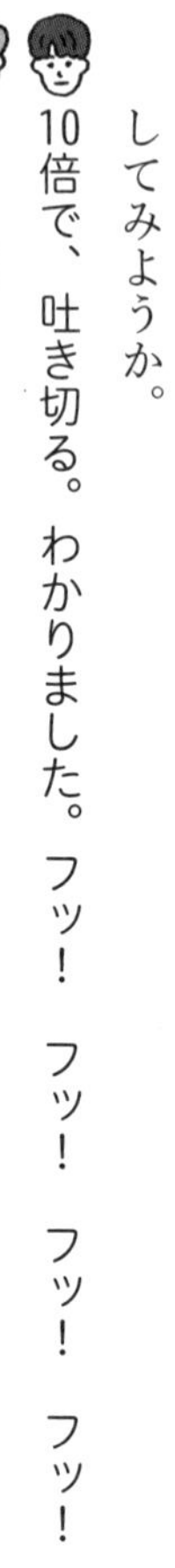

してみようか。

10倍で、吐き切る。わかりました。フッ！　フッ！　フッ！　フッ！　フーーーー！

もう1回！

フッ！　フッ！　フッ！　フッ！　フーーーー！

いいね！　ラスト！

フッ！　フッ！　フッ！　フッ！　フーーーー！

じゃあ、どれくらい効果が出ているか試してみよう。**例文5を大きめの声で読んでみようか。**

例文5

おはようございます。
本日の朝礼を始めてまいります。
よろしくお願いします。

おはようございます。本日の朝礼を始めてまいります。よろしくお願いします。……。

あれ！　いままでと全然違う感覚です。自然に全身で声を出せている気がします。

えーーー!!　びっくりです。

そう！　その感覚が大事。腹式発声だからといって話すときにお腹に力を入れてしまう人がいるけど、それでは上半身、特に喉周りの力みにつながるだけだ。勝手に腹式にできちゃっている状態が正解だ。

●どれくらい練習すればいい？

このトレーニングはどれくらいやればいいですか？

これもここまでの2つと同じく毎日1分程度、20日ほどやってほしいな。「フッ！　フッ！　フッ！　フッ！　フーーー！」が1回5、6秒として、1分間で10回程度はできると思う。

わかりました。ここまで紹介してもらったどのトレーニングも、短い時間でできるのがうれしいです。

シンプルだけど、繰り返しやることで、きちんと効果が得られる内容ばかりだ。**3つのメイントレーニングの合計は3分くらい**だね。

逆にもっとやらなくていいのかなと不安になります。

そうだね。僕は**長い時間することよりも、集中が大事**だと思っている。長くやらなくてもいいから、できるだけ集中して取り組んでほしい。テレビを見ながらとか、携帯を見ながらとかではなくてね。

「ながら」ではダメなんですね。

使っている筋肉をしっかりと意識しながら筋トレすると、効果が高まるって聞いたことはないかい？

あります。ボイトレも同じなんですね。

そうだよ。ボイトレも筋肉を使った行為だからね。人間の集中力には限界がある。1日3分程度でいいんだ。自分の喉や、声帯、舌、お腹の筋肉はとても繊細だから、丁寧に向き合ってほしい。

わかりました。集中して、かつ丁寧に取り組みます。

うん！　がんばれ！

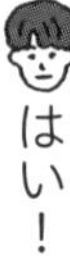

はい！

デイリートレーニングシート

日数		あくび発声法	ニャニャニャ発声法	エアふうせんトレーニング
Start ①	月　日　曜日	○	○	○
②	月　日　曜日	○	○	○
③	月　日　曜日	○	○	○
④	月　日　曜日	○	○	○
⑤	月　日　曜日	○	○	○
⑥	月　日　曜日	○	○	○
⑦	月　日　曜日	○	○	○
⑧	月　日　曜日	○	○	○
⑨	月　日　曜日	○	○	○
⑩	月　日　曜日	○	○	○
⑪	月　日　曜日	○	○	○
⑫	月　日　曜日	○	○	○
⑬	月　日　曜日	○	○	○
⑭	月　日　曜日	○	○	○
⑮	月　日　曜日	○	○	○
⑯	月　日　曜日	○	○	○
⑰	月　日　曜日	○	○	○
⑱	月　日　曜日	○	○	○
⑲	月　日　曜日	○	○	○
Goal ⑳	月　日　曜日	○	○	○

シンプルだけど効果抜群！緊張ぶっとび「マヨネーズ呼吸法」

ここまでの3つのトレーニングで十分効果はあるけど、せっかくだからもう少しトレーニングしてみよう。具体的にはあがり症を抜け出すトレーニングと、滑舌のトレーニングだ。こうした悩みを持つ人は試してみてほしい。その後に面白いトレーニングも紹介するよ。

僕はあがり症だし、滑舌もよくありません。ぜひ知りたいです！　どんなトレーニングですか？

「息」という漢字は2つの漢字が組み合わさってできている。

急にどうしたんですか……。確かに、「自分の心」と書きますね。

そうだね。息は自分の心。**呼吸の乱れは心の乱れ。心の乱れは呼吸の乱れ。**リラックスして呼吸できると心は安定する。心が安定しているときは呼吸も安定している。心を直接操作できるのが呼吸なんだ。

なるほど。緊張しやすい人は呼吸法をトレーニングすればいいんですね。

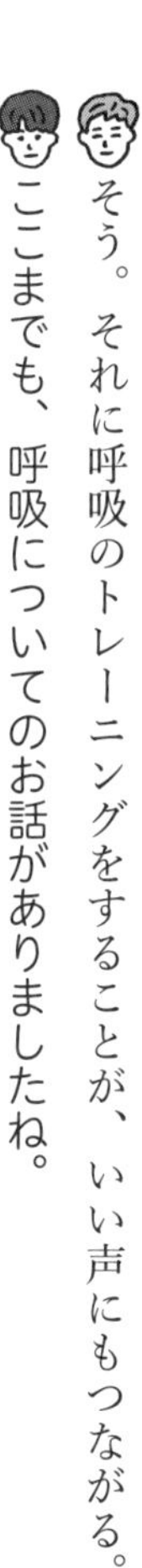

そう。それに呼吸のトレーニングをすることが、いい声にもつながる。

ここまでも、呼吸についてのお話がありましたね。

声というのは息のコントロールが大切なんだ。息の量やスピードをコントロールすることで理想の声を出すことができるようになる。でもさっきも話したように、**現代人はストレスで浅い呼吸になりがちだ**。猫背になりやすいパソコン操作やスマホ操作も、肺を圧迫するから浅い呼吸の癖が付きやすいね。

ストレスからは逃げられないし、パソコンやスマホも生活に欠かせませんよね……。

では早速始めてみよう。まずは、**肺の中にある息をすべて吐き出す**。**少し口をすぼめて、細く長くスーーーーッと**。そのときに**自分の体がマヨネーズの容器になったイメージ**を持ってみて。

マ、マヨネーズですか!?

そう。普通のマヨネーズの10分の1くらいの大きさの穴からマヨネーズが絞り出されていくイメージ。息を吐いて、吐いて、吐き切ってみて。

スーーーーーーーーーーッ。

いいね！ **吐き切ったら鼻からゆっくりと息を吸うんだ**。胸、背中、両わき腹、最後にお腹のほうにまで、息がゆっくりと入っていく。洋ナシ型の容器に入ったマヨネーズの下半分に息が入っていくイメージだ。

スーーーーーーーーーーッ。(すぅうううううう)。

吸い切ったら3秒息を止めて、また口を少しだけすぼめて、細く長く吐いてみよう。マヨネーズを絞り出していくよ。

……………。スーーーーーーーーーーーーッ。なんだか体が熱くなってきました。

いいね。でも力んではいけないよ。首や肩の力は抜いておこう。それに少し猫背になっている。自然にスッと背骨を立ててみよう。

(すぅううううううう)……………………。スーーーーーーーーーーーッ。

オッケー。どうだった?

なんだか目がパッと開いた気がします。頭もすっきりして、さっきまでなんとなくだるかったのが、少し軽くなった感じがします。

頭や体がすっきりしたってことは、酸素が体の隅々、脳にまで行き渡ってる証拠だね。

これまで、呼吸なんてほとんど意識していませんでした。

この呼吸法も、**最初は1日1分**でいい。車や電車に乗っているとき、仕事の休憩時間、家事の合間にしてほしいんだ。慣れてきたら、5分くらい続けてやってみるのもいい。心も発声もコントロールできるようになるよ。

がんばってトレーニングするという感覚ではなくて、リラックスできますね。

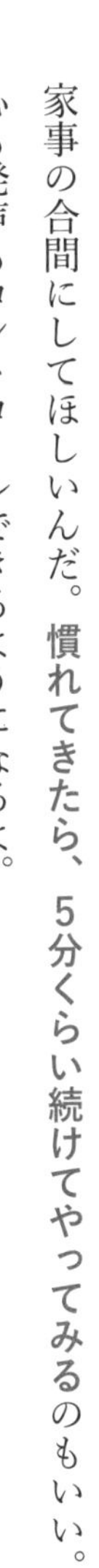

声のこもりや痛みを解消する「舌引っ張り体操」

あきら君は声がこもるって言ってたけど、すぐ喉がかすれたり、痛くなったりすることもないかい？

あります！　でもなんでわかるんですか？

それはね、君の舌に理由がある。

喉とか発声ではなく、舌ですか？

そうだよ。鏡を見ながら、口をパッて開いてごらん。どう？　舌が奥に引っ込んでいるのがわかるかい？

確かに！　喉のほうに引っ張られてる感じです。

それは舌に緊張感を持つ人の特徴なんだ。僕は「舌引きこもり」と呼んでいる。

舌はなぜ引きこもるんですか？

緊張したり焦ったりすると、舌は奥に引っ込む性質があるんだ。不安が強い人や、言いたいことを言えなくて我慢する傾向にある人も、そうなりやすい。

まさに僕です。言いたいこともつい飲みこんでしまいます。

あとは舌の筋力不足も考えられるね。基本的に口を閉じているときは、舌全体が上あごにぴったりとくっ付いているのが望ましい。

僕の舌は浮いていますね。

舌先が下がっている人も多いよ。舌全体が上あごにくっ付いていると口角がわずかに上がる感じがする。これが理想だ。唾液も分泌しやすくて口の中が乾燥しにくくなるから、滑舌よく話すのにも適している。それに舌が上あごにくっ付いていると、話し出すときに口が開けやすい。だから大きな声も出しやすい。無駄に大きく開けて話す必要はないけどね。

「ニャニャニャニャ発声法」みたいに、口角が上がることで印象もよくなりますかね。

そうだね。逆に口角が下がると不満顔になるし、そのまま声を出すとボソボソとした話し方になってしまう。

不満顔でボソボソって最悪ですね……。

気付けてよかったね。

僕はこれからどうしたらいいんでしょうか……。

生活の中で、**声を出していないときは上あごに舌全体をくっ付けておこう。**これがまず1点。

それならいますぐにできます。

舌を上あごに付けると自然に口角が引き上がる。この自然に上がっている感じが大事だよ。無理に引き上げる必要はない。

具体的なトレーニングはありますか？

舌をハンカチなどで軽く引っぱりながら声を出す「舌引っぱり体操」がおススメだ。

直接引っぱり出すわけですね。

そう。舌を軽くつまんで、まっすぐ

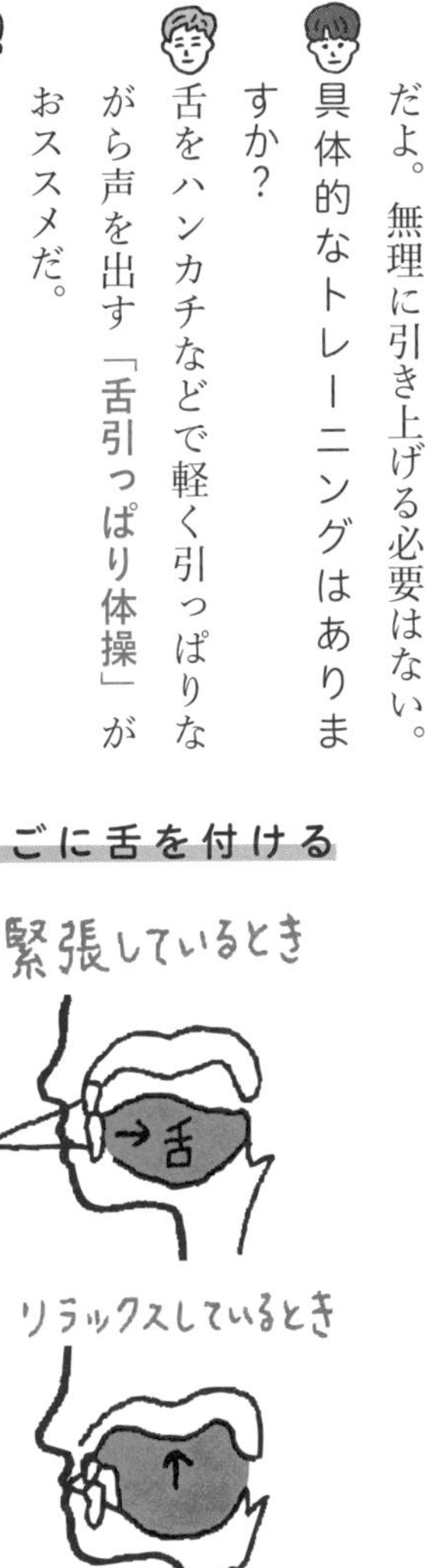

前に引っぱりながらできるだけ低い声を「あーーーー」と、4秒ほど出す。これを3セット。強く引っぱりすぎないように。ソフトに扱ってね。舌は意外とデリケートなんだ。

はい！　あーーーー。あーーーー。あーーーー。

どう？

舌をストレッチしたような感じです。いま話していても、声がとても出やすいです。

そうだね。音もクリアになっているよ。

滑舌もよくなったっていうか、舌が軽やかです！

何人かのアナウンサーさんに教えたら気に入ってもらって、本番前は必ずやっているって言ってたよ。

それは信頼できますね。

ちなみにこのトレーニングは無音でも構わない。「あーーーー」の代わりに「はーーーー」っと息を吐こう。でもできたら小さな声でもいいから、低音で

舌を引っぱり出して低音で

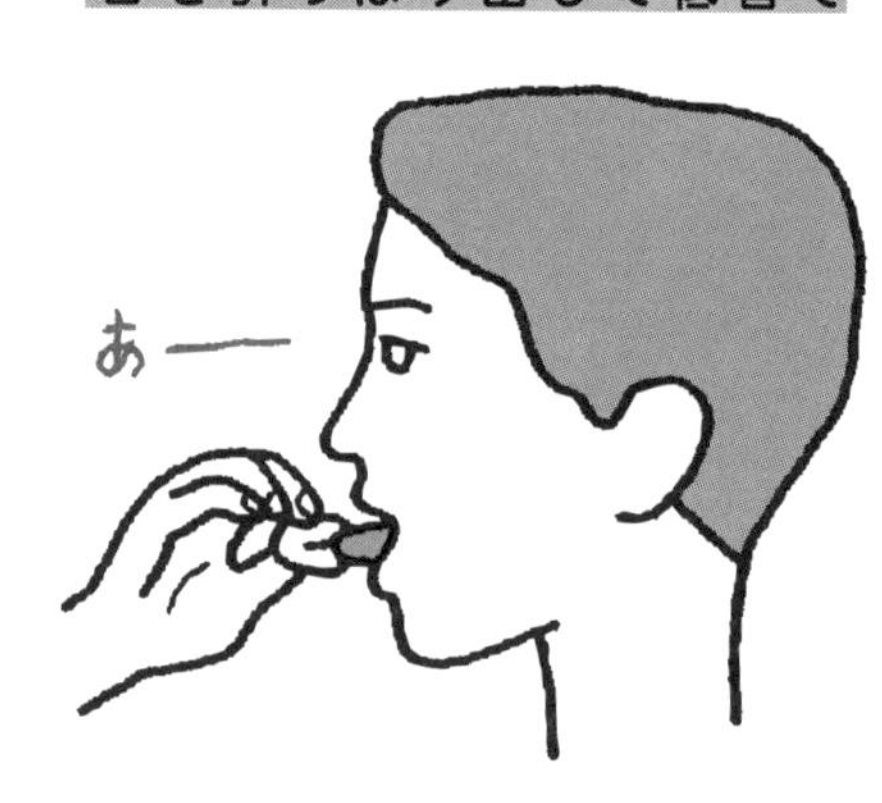

「あーーーー」がいいかな。

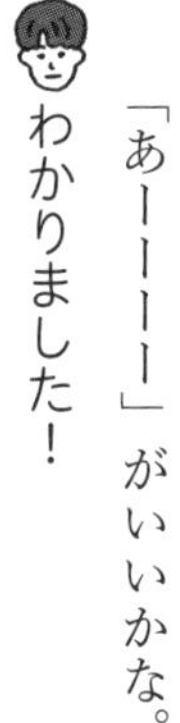

わかりました！

スラスラ話せるようになる「滑舌トレーニング」

さて、次は滑舌トレーニングだ。あきら君は滑舌にも悩んでるって言ってたね。

はい。昔からよくからかわれます。早口言葉の練習もしてみるんですが、なかなかうまくいきません。

滑舌で悩む人は本当に多い。でも、アナウンサーレベルの滑舌を目指すならともかく、日常の会話をするのにそこまでストイックにやる必要はないよ。注意が必要な発声トレーニングの話をしたときにも言ったけど、早口言葉は早口になる練習をするようなもの。実際、そんなに早口で話しても、相手は理解できない。

それじゃあ、どうしたらいいんですか？

さっきの「舌引っ張り体操」は滑舌にも有効だ。ここではほかのやり方も教えておこう。方法は2つある。やりやすいほうを試してほしい。

はい！

1つ目は、**舌の根元から大きく舌を動かすつもりで話す**ということ。滑舌よく話そうとして、舌先を一生懸命動かして話そうとする人が多いんだけど、それだと舌先に意識が行きすぎてしまう。それが力みを生んで噛みやすくなるんだ。

早口言葉を練習するときも、よく噛んでしまっていました。

もう1つは、**舌の存在をいったん忘れてみる**ことだ。

どういうことですか？　滑舌を良くしたいのに舌の存在を忘れていいんですか？

そう。その代わり、**喉の中に口があるイメージで話してみよう**。

え？　喉の中に口？

そう。喉の中の口が話す感覚で声を出すと、不思議と舌の緊張感が取れて噛まなくなるんだ。君の苦手な早口言葉も不思議と言えるようになる。

喉の中の口が話す……。生麦生米生卵。生

喉の中の口が話すイメージ

麦生米生卵。生麦生米生卵。うわ！　言えた！　すごい!!

このトレーニングにはもう1つ利点がある。声が胸板に響いて、安心感や信頼感を感じさせる声にもなるよ。

滑舌がよくなって安心感や信頼感も演出できるなんて最高ですね！

勝手に声がよくなる「脳内ミラーボイトレ」

さあ、最後のトレーニングだ。**このトレーニングの特徴は、ずばり、トレーニングをしないこと。**特に具体的な発声や呼吸法を練習するわけではない。

え!!　そんな楽な方法があるんですか？

そう。この発想は大事だ。勝手にいい声になるには？　という考え方は、いい声を身に付けるには必要だよ。というのも、僕がいままで見てきた生徒さんの傾向として、とてもストイックな人が多い。努力しないと身に付かない。がんばらないと身に付かない。そんな思考を持っているんだ。

僕もそう思ってここに来ました。

その心掛け自体はいいんだけど、「しないといけない」と考えた瞬間、心も体も構えてしまって緊張状態になるんだ。いい声を出すために必要な、喉を開くことや、お腹を自然に使うという要素を打ち消してしまう。

なるほど。もっと楽に考えたほうがいいんですね。

そう。何事もがんばりすぎる人ほど、注意が必要だ。極端かもしれないけど、ストイックさは持ちつつも、**「楽に、手抜きして身に付けるには」くらいの気持ちで取り組んだほうがうまくいくよ。**

でも、そんな方法があるんですか？

特別なトレーニングをしていなくても、いい声の人は世の中にたくさんいるよね。

確かに、職場にも声のいい先輩がいます。

彼らはなぜいい声なのか考えたことがあるかい？

生まれつきではないんですか？

確かにそれもある。声帯の長さとか、太さとか。でもそれ以外に**大きな要因は環境だ。**もし両親がアナウンサーで、いつもきれいなイントネーション、アクセント、音量で話をしている中で育ったら、子どもはどうなるかな？

生まれたときからきれいな話し方を聞いて育ったら、子どももそうなると思います。

親に何を言っても否定されて、話を聞いてもらえずに育ったら？

無口になったり、ボソボソと話すようになったりすると思います。

そのとおり。気付いたらいい声で話せるようになっている人もいれば、逆にボソボソ声になる人がいるのも、環境による影響が大きいと思う。

なるほど。じゃあいい声の人を真似(まね)すればいいんですか？

そう。「こんな風になりたい」と思うような声の人を見つけて、まずは観察する。

それだけで本当にいい声になるんでしょうか。

〝ミラーニューロン〟って知ってるかい？

聞いたことあります！

ミラーニューロンとは脳内にある神経細胞の1つだ。他者の行動を見たときに活性化する。

映画やスポーツを見て、登場人物になり切って泣いたり、笑ったりするのもそれなんですよね。

そう。自分が体験していなくてもいい。**なりたい声の人を見つけて、その声を真似す**

ることで、練習しなくてもその声が身に付きやすくなる。

なるほど！　いい声の人であれば誰でもいいんですか？

できれば自分と頭蓋骨の形や、体格が似ている人が真似しやすいけど、まずは細かく考えずに「いいな！」と思う声の人でいい。それでその人を観察する。１人に限らず、たくさんの人を真似してもいい。

それなら簡単にできますね。

そして、**「今日はどの人の声でいこうかな！」ってイメトレする**んだ。例えば、会社に着いたら向こうから上司がやって来る。理想の声を頭の中で再現して、鳴らしてみる。

予行演習ですね。

そう。それから声を出してみる。「おはようございます」。なんとなく話していてはダメだ。いままでと変わらないよ。

でもなんだか楽しそうです。好きな声探しをしてみます。これまでのトレーニングで、いい声がどんな声かわかるようになったし、好きな声を選ぶときの選択肢も増えた気がします。

楽しみながら好きな声を探して、試してみよう。

やってみます！

これでひと通りのトレーニングの説明は終了だ。どうだい？　あきら君は変わっていけそうかな？

はい！　なんだか明るい気分になりました。明日からトレーニングを続けて、理想の自分を手に入れます！　先生、今日はありがとうございました。

それはよかった。こちらこそ、どうもありがとう。ボイトレによってあきら君の人生がうまくいくことを願っているよ。

第3章

困ったときの声の出し方話し方

前章までは、話し方の土台となる
「声」についての内容を中心に紹介しました。
あきら君も前向きになれたようで、何よりです。
本章では、より実践的に、
具体的な悩み別の対処法を
お伝えしていきます。
声や話し方を変えるだけで、
困った状況は驚くほどに好転するのです。

何社受けても面接を通らないんです……

僕のスクールには、同じような悩みを持つ人がとてもたくさんいらっしゃいます。面接って、お見合いに似たようなところがありますね。百発百中、すべての企業に受かることは不可能です。

でも、受かる確率を上げる方法はあります。

スクールには、人事部の面接担当の方も、面接官としての印象を高めたいからと数多くいらっしゃいます。彼らに、面接で学生を選ぶ際にどんな点を重要視しているのかを聞いたことがあります。

そのとき、**多くの面接担当の方が「声」と答えた**のが印象的でした。いい声を出しているから採用するということではありません。いまどきの学生は、就活面接のマニュアルで対策をし、話す内容を十分準備してきます。大企業ともなると、そんな学生を何千人と面接していくことになります。そうすると、みんな同じことを話しているように見えてきてしまうそうです。個性があまり感じられず、甲乙を付けられないのです。

そんな中で、最終的に「声にウソのない人」を選ぶとのこと。ベテランの面接官になると、声の調子（音量、スピード、高低、間）や声色から、その人の自信、やる気、誠実さが透けて見え、話す内容と声の調子に不一致があると、一瞬で違和感を察知できるようになるそうです。

喉を開いて話す

では、ウソのない、信頼される声になるにはどうしたらいいでしょうか。

大切なのは、「喉を開いて話す」ということです。緊張したり隠し事をしたりすると、喉は閉まり、上ずった声になります。喉を開いて話せるようになると、相手の頭蓋骨に響くような、自信を感じさせる声で話せるようになります。

そのためには、**69ページの「あくび発声法」がもってこい**です。志望動機、自己PRなどを話すのは１分から３分程度だと思います。その内容を素材にして、「あくび度数１００％」→「あくび度数50％」→「あくび度数10％」で話す練習をしましょう。

印象に残る自己紹介の方法を教えてください

誰でも初対面でいい印象を残したいと思いますよね。ここでは2つの自己紹介のシチュエーションを例に説明します。

新しい職場での自己紹介

緊張すると早口になりがちなので、**ひと言ひと言、はっきりと丁寧に言葉を届けるように意識**しましょう。早口になると、滑舌の悪さやしどろもどろな話し方が目立ってしまうから注意です。また、焦ると語尾が消えてしまう話し方になる人もいます。歯切れの悪い、だらけた印象になってしまいます。

99ページの「滑舌トレーニング」で紹介したように、舌を根本から大きく動かしながら話してみましょう。ゆっくりと大きな声で話せるようになります。

それから声の音量、高さ、スピードにも注意します。

冒頭のあいさつと締めの言葉はやや高めの声にして、そこを最大音量にします。真ん中の自己PR部分はトーンを少し落として、ゆっくりと丁寧に話します。終盤に向けては、謙虚さをアピール。トーンを上げて、「お世話になります」「よろしくお願いします」という気持ちも込めて。

（冒頭／やや高めの声で）

「初めまして！　司拓也と申します」

（自己PR／トーンを落としてゆっくり丁寧に）

「私は大阪府出身で、テニスを20年続けてきました。根気よくラリーを続けるタイプです。仕事も粘り強く取り組んでいきたいと思います」

（終盤に向けて／謙虚さをアピール。トーンを上げる）

「まだまだ経験不足でご迷惑をお掛けするかもしれませんが、1日でも早く戦力になれるよう、勉強していきます」

（締めの言葉／やや高めの声で最大音量）

「がんばりますので、よろしくお願いいたします」

お客様やクライアントへの自己紹介

社外の相手への自己紹介では、一方的に話すのではなく、名刺を交換しながらの双方向の会話になるケースが多いでしょう。そこでのポイントをお伝えします。

まずはあいさつ。ここでは明るさや元気のよさをアピールするよりも、**丁寧さと誠実さを演出**していきます。やや低めの声で、相手との距離感は近いはずなので、音量はそこまで大きくなくても大丈夫です。

注意点は、**相手の目にピントが合ってから話し始める**こと。ピントが合う前に話すと、声を届ける目標地点がぼやけます。それにつられて輪郭のはっきりしない声になってしまいます。

「初めてお目にかかります。A産業営業部の司拓也と申します」

次に経過について。

「昨年までは開発部にいました。今年の移動で営業部に配属になりました。前任の田中から大変お世話になったと聞いております」

前任者についての部分は大きく明るめに表現します。最後に決意表明。**「謙虚な言葉＋熱意のある言葉」を、力強い大きな声とセットで**届けましょう。

「何かといたらない点もあるかと存じますが、期待に応えられるようがんばります。よろしくお願い申し上げます」

自己紹介は準備がすべて。初対面の人と話す機会がある場面では、自己紹介を求められると心得ておきましょう。それだけでも落ち着きが変わってきます。

どうすれば初対面の相手に信頼してもらえますか？

初対面の相手に信頼してもらうためには、「自己紹介＋自己開示」がポイントです。
先ほどは、人前で短い時間にする自己紹介と、名刺交換の際の自己紹介をご紹介しました。それらを実践できれば、その段階で相手の目には印象よく映っているかと思います。
ただ、自己紹介だけでは、自分のことを信頼に足る人物とまでは判断されていないでしょう。そこで信頼できる人として認知してもらう方法をお伝えします。

現在→過去→未来→現在の順番で自己開示

心理学の実験でも、自己開示をすると相手に好感を持たれ、信頼されるということがわかっています。あなたのことが何もわからなければ、相手は何も情報がないので、信頼できる人間とは判断できません。

ただ、自己開示といっても難しく考える必要はありません。現在↓過去↓未来↓現在の順番であなたを表現する。それだけで、信頼できる人、魅力的な人と思ってもらえます。

●現在

「ボイストレーナーの司拓也です。人前で話すのが苦手な人に、話し方やボイストレーニングなど、コミュニケーションのセミナーを提供したり、本を書いたりしています」

●過去

「いまはこんな仕事をしていますが、実はかつて、人とのコミュニケーションが大の苦手で、人からいじられたり、いじめられたりした経験があります。

また、あがり症で、面接試験を３００社以上落ちた経験もあります。会社員時代は声が小さすぎて『つぶやきくん』と呼ばれていました。

そんな私が会社の労働組合の全国議長になってしまったのです。もともと人と争うのが嫌いな上に、強く言われたら相手に言い返すこともできない。言い返しても相手に声が届かない。

そんな私でしたが、あるときボイストレーニングと出会いました。相手に負けないしっかりと大きな通る声を身に付けたことで、経営陣に食らいつきながら交渉し、仲間とコミュニケーションを取って団結力を高め、最終的に無事議長の仕事をまっとうすることができました」

●未来

「世の中には、私と同じように、自分に自信が持てず悩んでいる人がたくさんいます。気が弱くて、いじめやパワハラに悩んでいる人もたくさんいます。

声のトレーニングを通じて、自分に自信を持てずに悩んでいる人を支えて、声やコミュニケーションに悩む人をゼロにしたい。それが私の夢です」

●現在

「というわけで、現在はセミナー講師として、ボイストレーニングを教えています。

この仕事に誇りを持って、悩んでいる人を１人でも多く救えればいいなと思っています」

過去については、失敗事例を話すといいでしょう。「え？　そんな過去が？」というギャップに興味を持ってもらうことも期待できます。また、例文では相手に信頼されるために、敢えて自分が困難にぶち当たった経験や、変化のきっかけを入れています。**最初から最後まで成功ストーリーだと面白みはありません**。「苦難を乗り越えて、未来のミッションを達成するために、いま、自分はここにいる」といった流れをつくりましょう。

今回は例文が長くなりましたが、実際はもっと短くても構いません。現在→過去→未来→現在の流れで自己開示していくことで、相手はあなたのことを、仕事に向き合いまっとうしている、信頼できる人だとわかってくれるでしょう。

プレゼンがうまくいきません。資料は褒められるのに……

資料はよくできているのにプレゼンがうまくいかない。ということは、伝え方がうまくいっていないのかもしれません。以下をチェックしてみて、課題がどこにあるかを見極めましょう。

5つのチェックポイント

次の5つのポイントを改善するだけでも、プレゼン力は確実にアップします。

□声がしっかりと相手に届いているか
□棒読みになっていないか
□早口になっていないか
□「あのー」とか「えー」といった口癖が出ていないか

□姿勢が悪くなっていないか

では、1つずつ見ていきましょう。

●①声がしっかりと届いていない

大きな会場であれ、小さな会場であれ、相手に声が届いていないと、せっかくいい提案であっても、信頼感を持って聞いてもらえません。

心理学者Y・ローズ氏は、声の大きさがその人のイメージを決定するとも言い切っています。心理学実験により、小さな声の人は内気で臆病、大きな声の人は前向き、快活、積極的だと認識されるという結果が出たのです。

音量アップには85ページの「エアふうせんトレーニング」がおススメです。

ただしその前に、どこまで声を飛ばすかという目標をしっかり確認しましょう。**声を出す前に、自分から見て会場の中でいちばん遠い人は誰かを確認します。そうしてその人の頭の上を声が飛び越えていくようにイメージ**する。すると自然に脳が声の大きさを調整してくれます。

●②棒読みになっている

棒読みで話すと、相手は退屈しますし、話のどこが重要なのかもわかりません。メリハリの付いた話し方をするには、音量とスピードのコントロールがポイントです。

通常のスピードで話している中で、「**ここは重要**」**という部分に差し掛かったら、間を取って、ゆっくりと大きな声に切り替えます**。

例えば、次のような感じです。□で囲っている部分をほかの箇所よりも大きな声で読みます。また、〰の部分をほかの箇所の半分の速さで読みます。

「今回ご紹介する商品は、寝てる間にどんどん脂肪が減っていく、世界初の画期的なダイエット商品です」

記号の例

ゆっくり読む	○○	（波線）
早く読む	○○	（矢印）
大きな声で読む	○○	（四角で囲む）
	○○	（マーカーを引く）

（こんな商品があるかどうかはさておき）

プレゼンの原稿をつくる際に、どこでスピードを速くするか、遅くするか、音量アップするか、の記号を付けておくといいでしょう。

●③早口になっている

早口の原因は、呼吸の浅さです。呼吸が浅いと少ない呼気の中に言葉を詰め込もうとするので、どうしても早口になってしまいます。しっかりと息を吐き切って話す癖を付けることが大切です。

そのためには、**92ページの「マヨネーズ呼吸法」がぴったり**です。1日1分トレーニングするだけで、ゆっくりと深い呼吸ができるようになります。その結果、落ち着いてゆったりと話せるようになります。

トレーニングの紹介でもお話ししたように、現代人はこの息を吐き切るという動作を苦手にしています。猫背でパソコン操作をしたり、うつむいた状態でスマホ操作をしたりすることで、浅い呼吸になってしまう癖が付いています。姿勢の治し方をこの後にご紹介するので、そちらも参考にしてみてください。

マヨネーズ呼吸法を試してもゆっくり話せないという人は、**一文を短くする、間を意識する**、この2つを試してみてください。

ひと息で話す内容が長いと息が続かなくなるので、短文を積み上げます。

「今回ご紹介するのはダイエット商品です。寝てる間にできます。どんどん脂肪が減っていきます。世界初の画期的な商品です」

文字で読むと違和感があるかもしれませんが、話してみると違和感が消えるのがわかると思います。

さらに、一文一文の間を開けてみましょう。具体的には、一文読んだ後に、同じ内容を心の中で反芻（はんすう）するイメージです。

「今回ご紹介するのはダイエット商品です。（今回ご紹介するのはダイエット商品

です）

寝てる間にできます。（寝てる間にできます）

どんどん脂肪が減っていきます。（どんどん脂肪が減っていきます）

世界初の画期的な商品です。（世界初の画期的な商品です）」

心の声は、実際に話すスピードの倍くらいのスピードで構いません。それでも十分落ち着いた話し方に見えます。

●④ノイズ口癖が出ている

「あのー」とか「えー」という、いわゆる「ノイズ言葉」はできるだけ少ないほうが聞きやすくなります。プレゼンの練習をしながら、「えー」「あのー」が1分間に何回出るかチェックしてみましょう。

ノイズ言葉を言わないと決める→練習で数をカウントする→次の練習で前回よりも減らすよう意識する。

これだけで徐々にノイズ口癖が減っていきます。加えて、ノイズ言葉が出そうになったら、鼻で息を吸ってみましょう。声が出ること自体をシャットアウトしてくれます。

⑤姿勢が悪くなっている

姿勢の悪さはすぐに相手の目に付き、悪い印象を与えてしまいます。逆に背筋の伸びた姿勢は、見ている人に自信を感じさせます。

大切なのは、背筋を無理に伸ばそうとしないことです。背中を伸ばせばいい姿勢になると思い込んでいる人が多いですが、無理に伸ばすと腰が反ってしまいます。それが原因で腰が疲れて、もっと猫背になってしまいます。

ポイントは肋骨です。**肋骨の位置を10センチ引き上げるイメージ**で立ってみましょう。実際には10センチも引き上げることはできませんが、それくらいがちょうどいいイメージです。座っているときも一緒です。

すると自然に胸が開き、姿勢がよくなります。肋骨に声が響いて、いい声にもなります。喉回りの圧迫感も消えるので、呼吸も楽になる。自信がみなぎってくるように感じます。たかが姿勢だと思うことなかれ。姿勢から心はつくられるのです。

肋骨を10センチ引き上げるイメージ

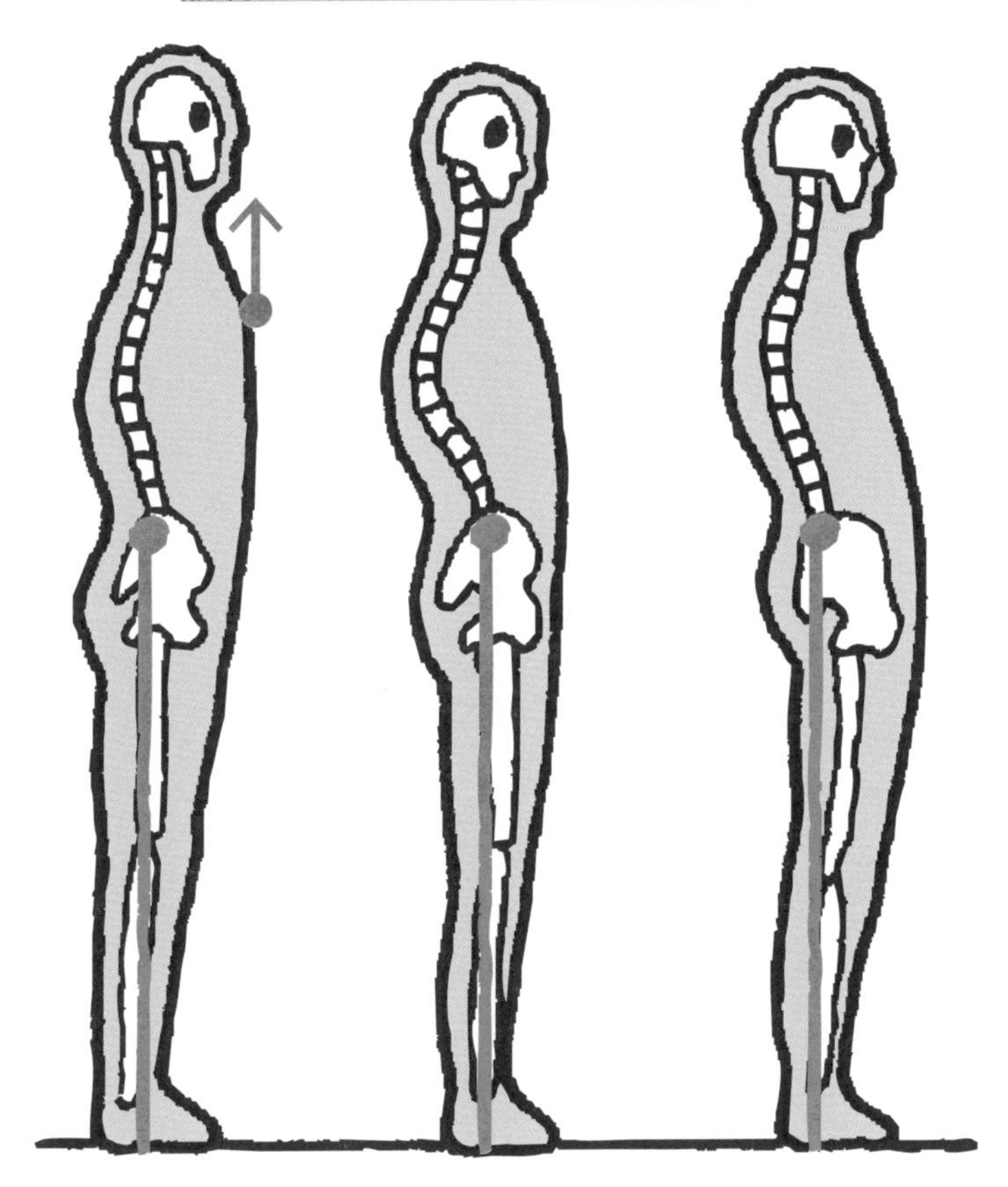

正しい姿勢

悪い姿勢
あごが前に出て、肩で重い頭を支え、猫背になっている

悪い姿勢
骨盤が後ろに倒れて、重心が後ろにあり、腰や首の負担が大きくなっている

クレーム処理でお客さんをさらに怒らせてしまいます……

よほど悪質なクレーマーでもない限り、クレームを言ってくるということは、そのお客様は何かしらの原因で困っています。その困っていることをわかってもらえないから、強い口調で訴えるわけです。

NG言葉を使わない

そうしたとき、使ってしまうと火に油を注いでしまう**NG言葉**があります。それは「**ですから**」「**だって**」「**でも**」。この3つを使ってしまうと、相手は自分に非があると言われているのだと受け止めて、さらに激高してしまいます。

● **「ですから」**

「さっきから時間ばかりかかって、まともな返事ができていないじゃないか。わかってるのか」

「ですから、はいと言っているじゃないですか」

「ですから」を使うと「そんな簡単なこともわからないの？」という上から目線の言葉に聞こえてしまい、逆ギレしていると受け止められる恐れがあります。

きちんと対応しているというニュアンスを伝えるためにも、「承知しております。現在原因を究明しておりますので、もうしばらくお時間を頂戴できませんでしょうか」というように、**「承知しました」**もしくは**「承知しております」**という言葉を冒頭に使ってみましょう。

●「だって」

「きちんと謝る気はあるのか？　やる気あるのか！」

「だって私バイトなんです」

「だって」は「そんなことを私に言われても困ります」というような、逃げ腰に聞こえてしまい、問題にきちんと向き合っていないように捉えられてしまいます。

この場合、立場はどうあれ、いったん相手の怒りの感情を毒抜きするために、**謝罪の言葉を挿入**します。

「大変失礼しました。きちんと対応してまいります。責任者が戻るまで、いましばらくお待ちいただけますでしょうか」

「責任者が戻るまで」と、**次の段階を示していることがポイントです**。具体的なアクションを取っていると伝えることで、お客様をほったらかしにしていないと知ってもらうことが大切です。

●「でも」

「時間がかかりすぎだ。ちゃんと責任を持って対応する気があるのか」

「でも、私の担当ではないので、そんなことを言われても困ります」

「でも」は、「それは違います」「あなたは間違っている」という、反抗的な印象を与えてしまいます。この場合も**謝罪の言葉を挿入した上で、しっかりと対応する気持ちを伝えましょう。**

「お時間をいただき申し訳ございません。しっかりと責任を持って対応させていただきます」

NG言葉が口から出そうになったら、これらの改善例のように置き換えてみましょう。それだけで、語感が柔らかくなります。言い分をいったん受け止めることで、相手の気持ちを和らげることができるのです。

一方で、相手の言い分を全面的に受け入れる言い方ではないので、挙げ足を取られにくいメリットもあります。そうしてさらなるトラブルを避けることができます。

焦ったときほど、言葉には普段の癖が出てしまいます。緊急事態だけでなく、**普段からNG言葉は使わないように意識**しましょう。

顧客の無茶な要望を上手に断る方法はないですか？

「お客様は神様」という考えに固執しすぎると、無茶な要求をされたときに、ノーが言えなくなってしまいます。

何でも引き受けてしまうことで、お客様間の不公平にもつながります。また、無理に要望に応えようとしても、例えば納期が守れずに逆に迷惑を掛けることもあります。何より、自分自身や仲間が心身ともに疲弊します。結局、自分で自分の首を絞めることになってしまいます。

まずは**NGワード**を覚えておきましょう。それはつい口から出てしまう「**なんとかします**」という言葉です。一度引き受けてしまうと、さらなる無理な要求が来たときに断れません。あるいは仲間に迷惑が掛かることもあります。「あの人は引き受けてくれたのに、なぜあなたはダメなんだ」と言われかねません。

言い方が大切

注意点として、相手との関係性をさらに悪化させる言い方はやめましょう。

「それは無理です。ありえません」

「そんなこと無理に決まっているではないですか」

イラっとした表情で「だから無理って言っているじゃないですか」

など、**怒りを表に出した言い方、けんか腰、無配慮な言い方は避けましょう。**

「ここまでは承知しました。ただ、大変恐れ入りますが、これ以上はご容赦いただけますでしょうか」

「あいにく、それ以上は難しいです。お受けいたしかねます」

こういった言い回しは、日頃から使い慣れていないと、とっさに口から出てきません。**何度か実際に口に出してみて、口慣らしをしておく**ことが大切です。

話がわかりづらいってよく言われるんです……

わかりやすい話し方には、いくつかの型があります。相手に話が伝わりにくいのは、そうした型を意識せずに、頭の中で思い付いた言葉をただ発していることが原因かもしれません。伝わりやすい型を覚えてしまいましょう。

ここでは2つの話し方を紹介します。

「PREP法」で説明する

「PREP（プレップ）法」とは、左記の流れで説明するものです。

P＝POINT／結論、主張を伝える
R＝REASON／その理由を述べる
E＝EXAMPLE／具体例、事例、データ、実体験で理由を補強する

Ｐ＝ＰＯＩＮＴ／もう一度結論、主張で締めくくる

人は物事を理解しようとするとき、**結論を聞く→なぜそう思うのか→根拠や具体例はあるのか→結局どうしたいのか、**の順番で話を聞きます。それを逆手に取った方法です。

「私のお伝えしたいことは、LINEを使った販促です（P）。なぜなら、より売り上げがアップすると考えるからです（R）。というのも、過去50件の事例では、約80%の確率で2倍の売り上げになりました（E）。ぜひ一度、この販促方法をご検討ください（P）」

話がまとまらない、わかりにくいと言われる人におススメの話し方です。余分な言葉がそぎ落とされ、聞き手の脳が理解しやすく、欲しい情報が自然に頭に入ってくる説明になります。そうして相手の理解が促進され、同時に行動も促すことができる。ＰＲＥＰ法は人を動かす説明の仕方とも言えます。

「ＴＮＫフリートーク法」で説明する

一方で、話したい要素がいくつかあり、整理して説明したいときに使える型が、**「ＴＮＫフリートーク法」**です。

Ｔ＝ＴＩＴＬＥ／言いたいことにタイトルを付ける
Ｎ＝ＮＵＭＢＥＲ／言いたいことがいくつあるか数を宣言する
Ｋ＝ＫＥＹＷＯＲＤＳ／その数に見合ったキーワードを伝える
フリートーク／主にＴ・Ｎ・Ｋの理由や根拠、詳細を伝える

この流れで話すことで、わかりくい内容についても、すっきりとまとまった印象を与える話し方ができるようになります。

「（Ｔ）いい声をつくるポイントは、

（N）3つあります。

（K）喉、お腹、声帯です。

というのも、

（フリートーク）喉を開くことで、喉を傷めることなく響く声で発声できます。

お腹を使うことで無理なく大きな声が出せます。

声帯の筋トレを行うことで、通る声が簡単に出せるようになります」

ポイントは、TからKを述べた後に、「**というのも**」「**というのは**」と挟んでフリートークに続けることです。TからKを述べている理由や根拠、詳細を、相手に「**教えてあげるつもり**」**で話すと、謎解きを説明しているような、深い納得感のある話し方になります**。

人は何か説明しようとすると、つい、力んで緊張してしまいます。「教えてあげよう」というモードになると肩の力が抜けて、自然な話し方ができるようになるのです。

営業でなかなか成約を取れません……

以前、パソコンを買おうと電気屋さんを何軒か巡ったことがあります。私はパソコンに詳しくないので、できるだけわかりやすい説明をしてくれる人がいいなと思って、いろいろな営業マンに話を聞きました。「さまざまなタイプの営業マンがいるもんだなー」と思って話を聞いていたのですが、大きく分けると3つのタイプがいるのだと感じました。

最初は、口数多く、商品の説明をこちらが聞いていないことまでペラペラと話すタイプ。説明はよどみなく、スラスラと話すのですが、なんとなく軽い印象を受けました。ほかの人にも同じような説明をしているんだな、という感じです。

逆にモゴモゴと小さな声で話すタイプの方もいました。こちらが近づかないと聞こえないような声です。商品の内容には詳しく、知識も豊富そうなのですが、自信を感じられません。購入した後のフォローをこの人に任せても大丈夫かな、という印象を受けました。

結局契約したのは、最後に話をした、こちらの話をよく聞いて、私がどんな用途で使いたいかを聞き出して、都度、欲しいパソコンを一緒にイメージ化させていくことができる営業マンでした。

親切に話を聞いている印象を演出

私の経験上、ボイストレーニングを導入して、営業マンの声を鍛える研修を取り入れている企業は業績を伸ばしています。

以前、ある有名なコンサルティング会社に、ボイストレーニングを依頼されました。業界ではトップクラスの会社です。プレゼンの達人が揃っているはずですが、なぜ、さらにボイストレーニングを研修に導入したのでしょうか。

理由を担当者の方が語ってくれました。ある程度プレゼン力が上がってくると、最後は説得力のある声を持っているほうが勝つそうです。プレゼンの達人集団といわれる彼らは、声が結果を左右すると知っているのです。

結果を勝ち取りたければ、まず、**78ページの「ニャニャニャ発声法」を試してみて**

ください。営業に適した、大きく通る声が出せるようになります。

加えて、営業やプレゼンがうまいと思われる方々の特徴として、ニーズを聞き出す際の声の使い方がうまいということがあります。

相手のニーズ、つまり悩みや課題を聞き出す目的は、相手にとって適切な商品やサービスを提案することです。そのためには**相手が何に悩んでいて、困っているかを詳細に聞き出す**ことが必要です。


以前、ある営業マンの方にこんな指導をしました。ニーズを聞き取る際、相手に安心感や親近感を抱いてもらうための相槌の打ち方です。

彼は低音のいい声をしているのですが、語尾が下がって暗い印象を与える聞き取り方になっていました。そこで私が彼のニーズを聞き出す形でお手本を示しました。


「声についてどんな困ったことがありますか？」

「声が小さくてこもってしまいます」

「声が小さくてこもってしまうんですね。具体的にはどんな場面で感じますか？」

郵便はがき

料金受取人払郵便

日本橋局
承認

7004

差出有効期間
2021年9月
29日まで

切手をお貼りになる
必要はございません。

1038790

953

中央区日本橋小伝馬町15-18
ユニゾ小伝馬町ビル9階
総合法令出版株式会社 行

本書のご購入、ご愛読ありがとうございました。
今後の出版企画の参考とさせていただきますので、ぜひご意見をお聞かせください。

フリガナ お名前	性別 男・女	年齢 歳
ご住所 〒 TEL （ ）		
ご職業 1.学生 2.会社員·公務員 3.会社·団体役員 4.教員 5.自営業 6.主婦 7.無職 8.その他（ ）		

メールアドレスを記載下さった方から、毎月5名様に書籍1冊プレゼント！

新刊やイベントの情報などをお知らせする場合に使用させていただきます。

※書籍プレゼントご希望の方は、下記にメールアドレスと希望ジャンルをご記入ください。書籍へのご応募は1度限り、発送にはお時間をいただく場合がございます。結果は発送をもってかえさせていただきます。

希望ジャンル：☐ 自己啓発 ☐ ビジネス ☐ スピリチュアル

E-MAILアドレス ※携帯電話のメールアドレスには対応しておりません。

お買い求めいただいた本のタイトル

■お買い求めいただいた書店名

（　　　　　　　　　　　）市区町村（　　　　　　　　　　　）書店

■この本を最初に何でお知りになりましたか

□ 書店で実物を見て　□ 雑誌で見て（雑誌名　　　　　　　　　　）
□ 新聞で見て（　　　　　　新聞）　□ 家族や友人にすすめられて
総合法令出版の（□ HP、□ Facebook、□ twitter）を見て
□ その他（　　　　　　　　　　　　　　　　　　　　）

■お買い求めいただいた動機は何ですか（複数回答も可）

□ この著者の作品が好きだから　□ 興味のあるテーマだったから
□ タイトルに惹かれて　□ 表紙に惹かれて　□ 帯の文章に惹かれて
□ その他（　　　　　　　　　　　　　　　　　　　　）

■この本について感想をお聞かせください

（表紙・本文デザイン、タイトル、価格、内容など）

（掲載される場合のペンネーム：　　　　　　　　　）

■最近、お読みになった本で面白かったものは何ですか？

■最近気になっているテーマ・著者、ご意見があればお書きください

ご協力ありがとうございました。いただいたご感想を匿名で広告等に掲載させていただくことがございます。匿名での使用も希望されない場合はチェックをお願いします☐
いただいた情報を、上記の小社の目的以外に使用することはありません。

「上司に報告するときとか、朝礼で前日の売上報告をするときに感じます」
「プレッシャーのかかる場面で感じるということですね」

語尾の「ですね」の語感が大切です。営業に自信のない人の多くは、この「ですね」に覇気がなく、フニャフニャした息声に近い、消えてしまうような語感になってしまっています。語尾が下がったり、フラットになったりする人も多いですね。語尾が下がると不満を感じさせますし、フラットの場合は冷たい印象になります。

語尾を上げることによって、「あなたの悩みをしっかりと受け取っています」というメッセージが相手の無意識に届きます。

語尾の癖はなかなか気付きにくいので、どんな語尾で相手の話を聞いているか、録音して聞いてみることをおススメします。先の営業マンの方は、この語尾の語感を変えただけで、１００万円以上の商品が即決で売れたと喜んでいました。

上司に気に入られる方法を教えてください

中間管理職はいつも不安と戦っています。上からの圧力と下からの文句の板挟み。表立って文句を言っていなくても、部下の不満げな表情や言動には心を痛めたり、イライラしたり。でも、強く指摘するとパワハラと言われる時代。

感謝をたくさん伝える

部下としてそんな上司に好かれるにはどうしたらいいか。それは**安心と労いの提供に徹する**ことです。お世辞を言う必要もありません。また、言いなりになる必要もありません。とにかく、労いと感謝の言葉**「ありがとう」をたくさん伝えましょう**。

私はボイストレーナーを職業にする前は、保険会社に15年間勤務していました。さまざまな仕事に携わりましたが、一時、自動車事故の人身示談担当をしていた経験があります。

損害保険会社には、加害者の代理人として、事故に遭われた被害者の方と示談交渉をするサービスがあります。私たち担当者は随時１００件近くの案件を抱え、日々対応に追われていました。

上司のもとには、毎日センターから事故データの詳細が送られてきます。上司はその内容を読んで、私たち担当者に振り分けていきます。

その振り分けの際に、上司は事故内容の詳細を説明してくれました。担当者は説明された内容を頭に入れて、被害者に電話をし、書類のやり取りをします。私はいつも上司に「ありがとうございます」とお礼を言って、事案を受け取っていました。

ボイストレーナーに転職するとき、会社で送別会を開いていただきました。その際上司に、「司君がいなくなるのは寂しい。司君だけだった。事案を渡したときに、ありがとうございます！　と言って受け取ってくれるのは」と言われました。

私は意外でした。意識的に「ありがとうございます」を伝えていたわけではなかったからです。仕事を振られたら「ありがとうございます」。何かしら指摘を受けたら「ありがとうございます」。疑問点がある場合は、「ありがとうございます」を伝えてから、確認する。それが当然のことだと考えていました。

NGな伝え方

好かれたいと思って仕事をする必要はありません。**嫌われる伝え方をやめるだけでも一目置かれるようになる**のです。

まず、上司に対して不満を感じたときに、ストレートに言うのは避けましょう。

「部長はなんで○○するんですか？」

「なんで○○してくれないんですか？」

「○○してくれないと困ります」

「○○するなんて信じられません」

すべて相手を責める言い方になってしまっています。上司にとっていい気はしないだけでなく、「なぜお前にそんな言い方をされないといけないんだ」と恨みを買ってしまいます。**特に「なんで」という語感は相手の怒りを買います**。

決済をすぐしてくれない、提案を通してくれないなど、不満はもちろんあるでしょう。しかし上司が抱えている仕事量は推し量れません。ほかの人にはわからない、どうしようもない理由があるのかもしれません。こちらから見えている感覚で物事を捉え、不満だけを伝えるのはやめたほうが賢明です。

嫌われない伝え方

不満があったとしても、怒りの感情を声に乗せて伝えるべきではありません。怒りの感情のまま声を発すると、その怒りは相手にも伝染します。けんか腰な態度を取るのではなく、あくまで冷静な態度で臨むべきです。

どうしてもひと言伝えたいときは、

「１つ提案があるのですが、聞いていただけますか」
「アイデアが思い浮かんだのですが、検討いただけませんか」

など、真っ向から反対意見を伝えるニュアンスを回避して、あくまで提案やアイデアを検討してほしいという「お願いモード」で伝えてみましょう。

問い詰められるとパニックになってしまうんです……

問い詰める口調で話をしてくる上司のプレッシャー。イヤですよね。意識してそういう聞き方をしてくるのか、無意識にそんな話し方をしてくるのか。怖いし、言い返せない自分に自己嫌悪にもなるし……。

問い詰める口調で話す人に対しては、一つひとつ回答していくと決めることが大切です。

受け身にならない

●NG例

上司：今度の会議のプレゼン資料できた？
部下：はい。

上司：できたの？　できてないの？
部下：できてま……す。（いつの資料のことを言っているんだろ？）
上司：どれ？
部下：えーっと。これです。（多分、明日のだろうな）
上司：いや、違うだろ。明後日の大事なプレゼンの資料だよ。決まってるだろ！
部下：あ、はい。（それならそうと言ってよ）
上司：ここおかしくない？
部下：いやー、えーっと……。（おかしいって、どこが？）
上司：どうなの？
部下：いや、大丈夫かと思います。（って何がダメか言えよ）
上司：思いますではダメだろ。どっちなんだ。
部下：調べます。（そんなきつく言わなくても……）
上司：早くしろよ。それからここのデータも整合性取れてるの？
部下：はい……。大丈夫かと思いますが……。（このデータで資料つくれって指示したのそっちじゃん。大丈夫かって言われてもわからないよ）

上司：またか。思いますではダメだろ。どうなんだ。
部下：えーと、調べます。
上司：ったく、適当にやってるんじゃないのか？　しっかりしろよ。

実はこれ、私の会社員時代の上司とのやり取りです。お恥ずかしい。

当時の私は、こうしたやり取りにいつもビビって、アタフタしていました。

ただ、いまこうして文字に起こして冷静に自分の反応を見返してみると、下手な答え方をしていたなと思います。

もちろん、上司の言い方にも問題はあります。1つの問題を指摘して、相手が答えようとしている間に、次の質問をしてくる。さらにそれを繰り返す。「適当にやってるんじゃないか」という乱暴な言葉。

この伝え方では、相手をパニックに陥れるだけです。問題を一つひとつ解決するか、相手に回答の猶予を与える。その時間がないのであれば、メールなどで文字化して、いつまでに回答するように、と指示すべきです。

当時の私は、「腹立つ！」「むかつく！」「しつこい！」「細かい！」と恨み満載モードでした。しかし、いま振り返ってみれば、この圧迫面接的なやり取りがあることで、私は心の中で文句を垂れながらも、指摘されることに対して準備対応することができていました。そうして、プレゼン本番で大失敗することがほとんどありませんでした。クライアントから突っ込まれそうなことを事前に上司が突っ込んでくれていたからです。腹立たしいばかりの会話ではあったものの、結果的にプレゼンのリハーサルになっていたわけです。いま上司には感謝の言葉しかありません。

それではこの会話の際に、私はどんな答え方をすればよかったのでしょうか。

●OK例

上司：今度の会議のプレゼン資料できた？
部下：はい。できています。明日のプレゼンの資料のことでしょうか？

（「できた？」の質問に「はい」だけだと、できたかどうか伝わらないので、「できた」と回答しています）

（瞬間的に明日の資料と思ったので、そこはごまかさず、素直に疑問に対して確認を取っ

ています）

上司：いや、明後日の大事なプレゼンのほうだ。決まってるだろ。

部下：失礼しました。

（心の声「ああ、そうなのね。はっきり明後日って言えばいいのに。部長も忙しくて結構てんぱってるんだな」）

部下：こちらです。

上司：ここおかしくない？

部下：はい。ありがとうございます。ここですか？

（指摘された部分に顔を近づけてじっと見て確認する。この動作を行うことで、相手の言葉をきちんと受け止めて、改善する意思があるということを見せています）

（この段階で、「詰問されている」という心理モードから、「無料でアドバイスをもらって儲けもの」モードに切り替えます。切り替えスイッチの言葉が「ありがとうございます」です）

部下：見た限り大丈夫ですが、問題があればご教授いただけませんでしょうか。すぐに直します。

（指摘に対して、目で見て確認。自分としては大丈夫だと意思を伝えている。その上で、見落としている所もあるかもしれないので、問題点がないか教えを乞う言葉掛けをする）

（「すぐに直す」という言葉を伝えることで、指摘に対して恨みを持ったり、やる気をそがれたりしているのではなく、さらにいいものをつくるという意欲、やる気を見せている）

上司：ちょっと文字が詰まりすぎているから、段落をこまめに変えてみて。

部下：ありがとうございます。例えば、この辺りで改行のイメージでよろしいでしょうか。

（相手のイメージしているゴールと、自分がイメージしたゴールが一致しているかを、できるだけその場で確認します。そのことで二度手間を省けます）

上司：そうだな。それで頼む。

部下：承知しました。ありがとうございます。ほかに気になった点はございますか？

教えていただけたらうれしいです！

（指摘される前に先手を打って聞くことで、完成度を高めたいという気持ちがあることをアピール）

上司：ここのデータは整合性取れてるの？　裏付けは大丈夫？

部下：大丈夫です！　ただ念のため、もう一度間違いがないか確認しておきます。お気遣いありがとうございます！

（心配性な上司に、よわよわしい言葉で、「思います」などの言葉を使わないこと。不安にさせるだけです）

（「大丈夫？」という上司の言葉の裏には、もう一度しっかりと確認してほしいという気持ちが表れています。はっきりと大きな声で「念のためもう一度確認します」ということで相手は安心します）

上司：よろしく。

どんなにいいアドバイスであっても、**受け身で受け取ってしまうと、詰問、もしくはパワハラ発言に聞こえてしまいます。**中には、理屈の通らない、それこそ、ただ相手が苦しむのを楽しむパワハラ上司もいるでしょう。

その環境に放り込まれてしまった場合、自分を守れるのは自分しかいません。理不尽すぎる詰問や、パワハラがあったときは、すぐに信頼できる人に相談することをおススメしますが、最低限の自衛策として、右記のような思考と伝え方を知っておいていただければと思います。

上司からの指示を断る方法を教えてください

上司からの指示を断りたかったり、「それ違うんだけどな」と思ったりすること、ありますよね。いつも無理難題を押し付けてくる場合は、しっかりと断ることも大切です。ただ、その言い方には注意が必要です。上手に断る方法を紹介します。

「お詫び&代案」を提示する

指示を断る場合の基本は、**「お詫び&代案」の提示**です。「反抗的」「冷たい」という印象を与えるのを避けるためにも、断るだけで終わるのではなく、代案を示すようにしましょう。

● **21時までの残業をお願いされたとき**

「19時までなら対応が可能です。というのも、どうしても子どもの迎えに行かなければばならず、申し訳ありません」

（できれば理由も付けておくとベストです）

●複数の仕事を頼まれたが、時間的に不可能な場合

「申し訳ありません。いま手一杯で、この仕事だけならなんとかできそうですが、いかがいたしましょうか」

（現状の苦しい状況を相手に知らせた上で、やるかやらないかは最終的に上司の判断にゆだねる方法です）

●用事のある日に飲み会に誘われた場合

「ありがとうございます。せっかくなのですが、今回先約があり参加できません。次回よろしくお願い申し上げます」

（飲み会などのお誘いを断る場合は、お詫びではなく御礼を。また、「行けたら行きます」など、あいまいな返事は避けるべきです。期待させて裏切るくらいなら最初から断りましょう）

部下が言うことを聞いてくれません……

部下が指示を聞いてくれない。そんなケースはたくさんあると思います。そもそもなんでこんなことまで指示しないといけないの？　と言いたくなるような部下も確かにいます。

そんな部下に対しては、次のように言葉掛けを見直してみましょう。スムーズに指示を守り、行動する部下に成長させることができます。

ここではケース別に対処法をお伝えします。

期日を守れない部下に対して

期日になっても提出物を出してこない。遅れそうだと連絡もしてこない。何日も前に進捗（しんちょく）を確認したときは大丈夫だと言っていたのに。

そんなとき、「なんで間に合わないんだ！　普通、遅れそうなら先に言うだろう」

と思ってしまうこともあります。でも、いくら「なんで」と怒ってみても、仕方ありません。**そういう特性を持った部下なのだと割り切る**ことです。そして言葉で教育をしていくと腹をくくるしかありません。

こんなときには、「そっか。間に合わなかったか。大変だったね」と伝えましょう。ハラワタが煮えくり返っていたとしても、です。まずは優しい声で労いましょう。

相手がアドバイスを受け入れる**「場づくり」が上司の役目**です。場づくりができていなければ、その後に伝えるアドバイスも相手の脳には入りません。「次からは早めに報告しろ！」と怒鳴っても、相手には恐怖、もしくは恨みの気持ちしか残りません。反省して次からは気をつけるという思考回路にはならないのです。

なぜなら、こうしたタイプの人は、いまこの瞬間に期日に遅れる人になったのではなく、昔から遅れる人だからです。それまでも怒られてきたのでしょう。それでも直らないということは、**何かしらやり方を変えないと効果はありません**。

その第一歩が、冒頭の労い言葉です。「あなたは1人ではなく、チームの一員であり、安全安心な場で働いているんだよ」と、まずはメッセージを送ります。そうすることで、安心して上司のアドバイスに耳を向けてくれるのです。

その上で、こちらの要望を伝えましょう。

「次から、遅れそうなときは1週間前には言ってね。力になれるかもしれないから」

もしまた1週間前に報告せずに遅れることがあるなら、今度は先回りして声掛けしてみましょう。

「締め切りまで1週間だね。何も言ってこないから大丈夫なんだろうなと思って見てるんだけど、何か困ったことがあったら聞くよ」

このとき、たとえ締め切り当日にできそうにないと予想できても、「このままだと期限に間に合うわけないだろう」と言ってはいけません。「これくらいの準備期間では難しいということがわかってよかったね」と伝えましょう。

怒りの感情のままに頭に浮かんだ言葉を伝えることは避けるべきです。「前に進むには」「完成させるには」というように、**最終目標を達成させることを前提**にして、伝える言葉を選びましょう。

頼んだ役割を断る部下に対して

新人の部下に、会議のファシリテーターを頼んだところ、「初めてのことなので、無理です。なんで僕がしないといけないんですか？」とやる前から悩んでいる。

そんなときに、あなたならどんな言葉を掛けますか？

初めてのことばかりの新人にとって、恥をかく可能性のある仕事に対しての不安は相当なものです。無理にやらせて失敗をしようものなら、「なんでできないのにやらせたんだ」と逆恨みを買ってしまう可能性もあります。

〝エラーレスラーニング〟という考え方をご存じでしょうか。

ひと言で表現すると、失敗をさせない学習方法です。失敗経験を排除し、小さな成功体験を積み重ねることで、成功確率を高めるやり方をいいます。

人は失敗を繰り返すことで、その記憶が定着して、失敗癖が付いてしまいます。そうすると失敗を恐れるあまり、チャレンジすることそのものを避けたり、平常心で事に当たれなくなったりします。

そもそも失敗を恐れずに、何度もチャレンジして成功がつかめる人のほうが稀有な存在です。

成功をつかめる人には3つの特徴があります。

1つ目は、うまくいかなかったり、間違ったりしても、すぐに別の手段を探して行動できる、「行動レパートリーの広さ」。

2つ目は失敗を通じて学ぶことの「動機付けの高さ」。

3つめはこれまで何度も味わってきた成功体験を持ち合わせていて、それに裏打ちされた「自己肯定感」。

回りを見渡してみても、これらすべてが備わっている人は滅多にいないことがわかるのではないでしょうか。3つの特徴を持ち合わせていない人がエラーを繰り返してしまうと、失敗が癖になってしまい、二度とチャレンジしなくなってしまいます。

こうした相手に「わがままなことを言わないでくれ。みんなやっていく中で成長していくんだ」と言うのは避けましょう。

笑顔で「誰でも最初は緊張するけど大丈夫。僕も横からサポートするし、初めの10分くらいから始めてみよう」と伝えます。とにかく**1人にしないから大丈夫だとわかってもらう**ことが大切です。

例えば本番前日に一緒にリハーサルをしながら、「僕も最初は不安で上司と夜遅くまでがんばったもんだ」などと励まします。自分も不安だったという気持ちを伝え、安心をアピールします。そうすることで、相手も「これなら少しだけでもやってみようかな」と前向きな気持ちになってくれるでしょう。

新しい配属先でみんなと仲よくできるか不安です……

初めて会う人たちの中で仕事をする。不安ですよね。ここでは相手に好印象を与える方法を紹介します。

「EAATの法則」でコミュニケーション

「EAAT（イート）の法則」とは、下記の頭文字を取ったものです。

・「笑顔」のE
・「ありがとう」のA
・「アドバイス」のA
・「タイミング」のT

●「笑顔」のE

笑顔は相手に対する「私はあなたと仲良くなりたい」「敵ではない」という無言のメッセージです。人はそのメッセージを受け止めることで警戒心を解き、安心して自分を受け入れてくれます。初対面の人には、あいさつの瞬間から笑顔で接しましょう。

ただし、ずっと全開の笑顔でなければいけないわけではありません。終始笑顔だと、「ヘラヘラしている」「何を考えているかわからない人」と思われかねません。

冒頭のあいさつや話し始めと会話の語尾で、笑顔になるように意識してみましょう。

笑顔のサンドイッチですね。これまで何人かの超一流の俳優さんのボイストレーニングを担当しましたが、みなさん笑顔が素敵でした。といっても、常に笑顔ではなく、真剣に聞くときは真剣なまなざしで聞く。そして話し終わりには笑顔で締めくくる。メリハリのある表情の変化が、本人の魅力をさらに高めていると感じました。

●「ありがとう」のA

仕事に就いた当初はわからないことだらけです。先輩や上司から教えてもらったり、アドバイスを受けたりすることがあるでしょう。その際は、「ありがとうございます」の言葉をハッキリ伝えましょう。もっと教えたいという気持ちになってくれます。

●「アドバイス」のA

先輩から教えられるのをただ待つだけでなく、「お忙しいところすみません。〇〇について、教えていただけませんでしょうか」と、**自分からアドバイスやフィードバックをもらいに行く**ようにしましょう。その際は、メモ帳やノートにメモします。その上で、聞いた内容について間違いがないか復唱してみましょう。

「承認欲求」といわれるように、人は頼られることで自分の存在意義を確認できる生き物です。後輩に頼られて悪い気分になる人はいません。きちんと調べてそれでもわからないなら、素直にアドバイスを求めるべきです。

また、自分からフィードバックをもらうようにしましょう。先輩に「うまくできているか、フィードバックをいただけるとありがたいのですが」と聞いてみます。「あなたが有能だからフィードバックを求めている」という敬意を表すサインにもなり、聞かれたほうは悪い気はしません。自分のことをやる気のある人と認知してくれるようにもなるでしょう。

●「タイミング」のT

先輩にもらったアドバイスやフィードバックに対して、**実行したらすぐにその結果を報告する**ようにしましょう。

すぐに、というタイミングが大切です。「あなたのアドバイスやフィードバックのお陰でうまくいった」と聞けば相手もうれしくなります。この人にアドバイスしてよかった。もっと協力してあげよう。そんな気持ちになるのです。

もしうまくいかなかったとしても、その報告をしましょう。「こんな風にしてみたら、ここまではうまくいったのですが、それ以降うまくいきませんでした。原因をいくつか考えてみたけどうまくいかないので、アドバイスをいただけませんか」と聞いてみます。

うまくいったときは何も言わず、うまくいかなかったときだけアドバイスを乞うのは、悪い印象を与えかねません。

長時間話すと疲れてしまいます……

どうしても、長時間話し続けなければいけないときもあります。疲れてしまうのはある程度仕方のないことではありますが、疲れを軽減させる方法もあります。

疲れないための3つのポイント

1に水分、2に喉を開く、3にあご周りの筋肉のリラックス。これで、かなりの長時間話しても喉の疲れは緩和されます。

まずは水分。何もしなくても喉は乾燥します。

私のスクールには学校の先生もたくさんいますが、みなさん声を枯らしています。どんな状況で話されているのかと聞いて驚いたのは、週に何十コマもの授業中、水を飲まないようにしているということです。生徒の前で示しがつかないからということですが、教師を長く続けたいなら、その習慣をやめてくださいとお願いしました。水分を摂るようになってからは、ずいぶん楽になったと言っていました。
飲み物は**常温の水がおススメ**です。冷たい水は喉周りの筋肉を冷やして、声帯の動きを悪くしてしまいます。

2つめに喉を開く。**69ページの「あくび発声法」を試してみてください。**

3つめにあご周りの筋肉のリラックス。特に耳たぶの裏側に疲労物質が溜まってしまい、口がうまく開閉できなくなっている場合が多いです。

耳の後ろのくぼみに中指を当てて、指を上に突き出すようにしながら、真上を向きます。そのまま「あーうー、あーうー」と声を出しましょう。リラックスして声を出せるようになります。

あご周りの筋肉をリラックス

ちゃんと話しているつもりなのに、いつも聞き返されます

聞き返されることの原因は、複数考えられます。当てずっぽうで解決策を考えても原因はわかりません。**聞き返される原因を突き止めてみましょう。いちばんいいのは、日常の自分の会話を録音すること。**音量が問題なのか、言葉の1音目が聞き取れないのか、早口なのか、声がこもるのか、聞き返されるときのパターンがわかります。

原因別4つの対処法

●①「エアふうせんトレーニング」

音量や声がこもるのが原因なら、**85ページの「エアふうせんトレーニング」がおススメ**です。

●②話し始めをゆっくりと

早口が原因の場合は、**話し始めだけ、気持ちゆっくりと話す**ようにしましょう。相手の耳を、あなたの声の音量やスピードに慣れさせてから、スピードを速くしてみてください。

●③注意をこちらに向けさせてから話す

相手があなたの話を聞こうとする準備ができていないときに、話し始めていることも考えられます。**相手がこちらに注意を向けているかを確認してから、言葉を掛けましょう**。そのためには相手に意識を向け、そちらに体も向けます。そうすれば相手が聞く態勢にあるかどうかがわかります。

●④名前を呼ぶ

相手が聞く態勢でなければ、**「○○さん！」と名前を呼んでみてください**。その上で伝えるだけでも、聞き返される頻度は減っていくはずです。

居酒屋で店員さんを呼んでも気付いてもらえません

うるさい場所で声が届かないのが悩み、という方は多くいます。居酒屋で店員に気付いてもらえない。あるいは大勢が参加するセミナーで、学んだことをグループのメンバーでシェアする際に、周りの声がうるさくて声が届かないという人もいます。

こうした場合、原因はいくつかあります。

1つは音量。無理に大声を出そうとしても喉を傷めるだけです。**69ページの「あくび発声法」を試してみましょう**。

それから腹式の発声法で話すことも大切です。**85ページの「エアふうせんトレーニング」も試してみましょう**。

もしそれでうまくいかなければ、別の原因が考えられます。

放物線のイメージで届ける

声をきちんと届けたい方向に届けようという意識が希薄だと、声は拡散して、周りの音にかき消されてしまいます。

目的地までの放物線を描き、声が高速で相手の頭の上を超えていくイメージで声を届けましょう。

高い声で、反射板のイメージ

普段より1つ高めの通る声で話してみましょう。注意点として、**声を高く**

しようと体の重心まで上に伸び上がってしまわないことです。もしくは、声を届けたい相手に体が持っていかれる感覚になる人も多いです。

声を発するとき、体は地面に置かれているイメージを忘れないこと。その体が支えとなって声は前に出ていきます。

声が相手に届かないのではないか、聞き返されるのではないか。そんな不安があるときは、上方に伸び上がったり、体が前に持っていかれたりする感覚がないか確認してみましょう。

体を反射板にして声が前に飛び出していくようなイメージがつかめると、こもる声質から通る声質に変化して、うるさい場所でも相手に楽に声を届けられるようになります。

声が反射するイメージ

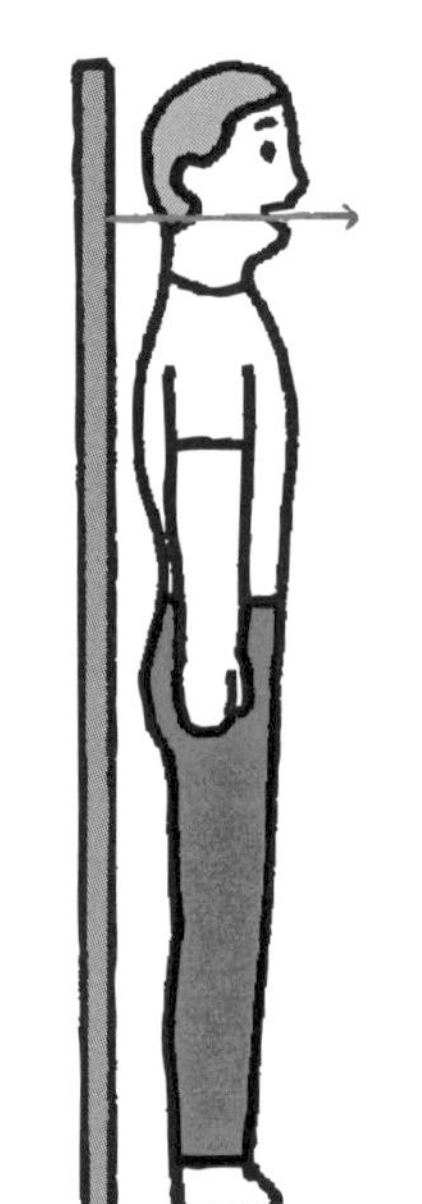

適切な言葉を選ぶ

例えば水を持ってきてほしいときに、どのように頼むでしょうか。

気が弱い人ほど、「すみません」と呼んで、店員さんがテーブルまでやって来てから、「水がほしいんですけど、時間があるときに持ってきてもらえませんか」といったように長々とした言葉を使ってしまいます。

騒がしいお店ほど、できるだけ短かく、端的なキーワードだけにそぎ落とした言葉を発するようにしてください。

「水ください！」。**これだけでオッケー**です。そのほうが店員さんにダイレクトに届きます。忙しいからと店員さんに気を使って長々とした言葉を使いがちですが、店員さんにとっても、短い言葉で頼んでくれたほうがありがたいものです。

「ぶりっ子」って言われます。そんなつもりはないのに……

ぶりっ子と言われるのは、高い声でゆっくりと話す人に多い傾向があります。また、舌っ足らずに話す場合も、ぶりっ子に思われやすいと言えます。

舌のストレッチ

次の2つのストレッチは、舌の筋肉を強く、柔軟にする効果があります。ぶりっ子声、舌っ足らずな話し方を矯正(きょうせい)したい場合におススメです。

1つ目は舌の付け根のストレッチ。まずは舌を口の外に突き出してみましょう。それから**舌を時計回り、反時計回りに5回ずつ回します**。最初のうちはかなり疲れるはずです。これを朝と晩に行います。

もう1つ、**舌を大きく外に出して、そのまま10秒キープ**します。舌の裏側の筋肉のストレッチです。

歯切れのいい声を出せるようになるトレーニング

弾くように出す音と舌を上下に動かす言葉を使って、発音の練習をします。具体的には**「パ pa」「シャ sha」「カ ka」「タ ta」**の４文字。これを繰り返し発音します。

①「パ pa」「パ pa」「パ pa」「パ pa」×３回
②「シャ sha」「シャ sha」「シャ sha」「シャ sha」×３回
③「カ ka」「カ ka」「カ ka」「カ ka」×３回
④「タ ta」「タ ta」「タ ta」「タ ta」×３回

ポイントは、**「ゆっくりはっきり」と発声する**ことです。大きな声を出す必要はありません。一音一音はっきりと発音しましょう。その上で、スピードを少しずつ上げていきます。注意点として、一つひとつの音がつぶれてしまっては意味がありません。はっきりと発音できるギリギリのスピードで行いましょう。

「チャラい」ってよく言われます。真面目に生きてるのに……

まじめなつもりでもチャラく見られてしまうのは、声のスピード、高さが原因かもしれません。高くて早口で話す傾向がある場合、軽くてチャラい声と思われてしまう可能性があります。

お笑い芸人、オリエンタルラジオの藤森省吾（しょうご）さんはその典型です。彼が実際にチャラいのかどうかはわかりませんが、チャラいイメージをつくるために、あの話し方をしているのは間違いないと思います。ドラマでドクター役を演じるときは、声の高さを抑え気味にして、ゆっくりと話す演技をしていました。

高くて早口で話す有名人には、ほかにも黒柳徹子さんや明石家（あかしや）さんまさんがいますが、いずれもエネルギーが高く、明るく、周りを元気にしてくれるような声の持ち主です。

高い声やスピードの速い話し方が長所として機能しているなら、それを有効に使っていくのもありですが、もしチャラいとか軽いと言われてしまうなら、話し方に注意が必要です。

声の高さを抑えてゆっくりと

まず、もう少し**声の高さを抑えめにして、スピードもゆっくり**としてみましょう。

また、生まれつき声が高い場合は、低い声を出すトレーニング法として、**声を出すベクトルを下方向にする**トレーニング法を試してみてください。それだけでいつもより低音の、落ち着いた声が出せるようになります。

具体的には、**足の裏にスピーカーがあるようにイメージします。スピーカーから声を出して、その声で地面を掘るような感覚**で話してみてください。低めの落ち着いた声が出る感覚をつかめます。

周囲に「無口」「暗い」って思われがちです……

まず、周りの人から暗い、無口と評価されているのなら、自分がどう思っていても相手にはそのように見えているということを、事実として受け入れましょう。

その上で、人がどう思っているかは関係なく、どうして明るく楽しく会話をしたいのか、自分に問い掛けてみます。明るく楽しく話したいと思えているということは、自分の中にポジティブな芽がちゃんと備わっているということです。それも認めてあげます。

大人になってから性格を大きく変えることは、難しいと言わざるを得ません。何年もかけて、思考と行動を積み重ねた結果、暗くて無口という性格や行動パターンに固定化されていったわけです。

でもあきらめる必要はありません。次にご紹介するように、楽しく人と話せるような思考や行動パターンを繰り返していけば、徐々になりたい自分に近づいていくことができます。

２割アップで感情表現をしてみる

相手に暗いと判断されるのは、あなたの感情表現がわかりにくいからかもしれません。**うれしいときや楽しいときは、そうした気持ちを表す表情＝笑顔を見せてください**。これまで暗いと言われてきた人は、最初はぎこちなくなってしまうかもしれませんが、気にする必要はありません。

笑顔がうまくいかないときは、**「うれしい」「楽しい」という言葉を口にしてみてください**。小さな声でも構いません。それで十分相手に感情は伝わります。あなたが周りから暗く思われているということは、長年そうした感情表現をしてこなかったわけです。周囲から見たら、大きな変化に映るはずです。

楽しく聞いているフリをする

他人の話を聞くときには、明るい話題なら口角を上げて、**楽しく話を聞いているフ**

りをしてみてください。同時に小さくうなずきます。うなずくことは、「あなたの言っていることを認めている」というサインになり、相手の承認欲求を満たします。

最初は楽しいフリで構いません。フリであることを誰も気付きませんし、気付いたとしても、うなずくことで、一生懸命話を聞こうとしてくれているんだなとしか感じません。

このように、まずは楽しく話すきっかけづくりから始めてみましょう。心を無理に変えようとしなくても、明るく見られる表情や、声、動作を取り入れるだけで、自然に感情表現が豊かになり、わかりやすい人と思われます。

セルフイメージを変える

周りから暗いと言われる。そんな自分に対して、「暗い」「欠点ばかり」「何もできない人」というセルフイメージを持つと、言動も暗くなってしまいます。

自信とは喜びの総量です。自分の感情を喜びに満たせば、自然と相手の目には自信のある人と映ります。完全無欠の自信など持てる人はいません。**まずはできるだけ小さな喜びにも反応してみる。**それによってセルフイメージもポジティブに変わっていきます。

特に人から褒められたり感謝されたりしたときは、「いえいえ、私なんて……」と謙遜せずに、「そう言っていただけてうれしいです！」と素直に言いましょう。ポイントは、明るく大きな声で表現することです。**うれしい、楽しいという感情をスルーせずに、いったん受け止める**イメージです。

喜びや楽しみを素直に受け取ることができれば、明るい自分になれる。それが周囲から見た自分の印象も変えていきます。

結婚式のスピーチを頼まれて憂鬱です……

人前で話すことが好きで好きでたまらない、といった人も中にはいますが、多くの人は苦手でしょう。それが友人の大事な結婚式となったら、とても緊張しますよね。あくまで主役は新郎新婦です。無理に気の利いたことを言う必要はありません。そつなく簡単にできて、聞いた人の印象に残るスピーチの方法を紹介します。

型を決めて原稿をつくる

結婚式のスピーチは、**ある程度型を決めて原稿をつくる**とうまくいきます。

①自己紹介（大きく通る声で）
②祝辞（落ち着いた声でゆっくりと）
③新郎新婦の人柄、自分との関係の紹介（ギャップを表現すると効果的）

④はなむけの言葉（大きく力強い声で）
⑤結び（周りを巻き込む）

●①自己紹介（大きく通る声で）

「ただいまご紹介にあずかりました、司拓也でございます。
新郎の太郎さんとは、大学時代に同じサークルに所属して以来の友達で、仲良くさせていただいています」

●②祝辞（落ち着いた声でゆっくりと）

「あらためまして、本日は、太郎さん、花子さん、ご結婚おめでとうございます。
伊藤様、佐藤様ご両家の皆様、おめでとうございます」

〈間〉

●③新郎新婦の人柄、自分との関係の紹介（ギャップを表現すると効果的）

「新郎の太郎さんとは親友と呼べる仲です。大学時代同じサークルに所属しました。それから5年間、お互い社会人になってからもときどき飲みに行く仲間です。太郎さんは大学では4年間ボランティア活動に参加していました。物静かで優しそうに見えますが、継続力のある、とても熱い魂の持ち主です」

●④はなむけの言葉（大きく力強い声で）

「そんな太郎さんですが、おっちょこちょいなところもあり、花子さんには何かと世話を掛けることもあるかと思います。花子さんの温かい愛で支えていってほしいと思っています。

いつまでも、いつまでもお幸せに。心よりお祈りいたします」

●⑤結び（周りを巻き込む）

「最後に、みなさんにご協力いただきたいことがあります。

結婚生活には楽しいことがあれば、苦しいこともあるでしょう。そんなときは、今日の日を思い出し、ここに集まったみなさんの顔を思い出してほしいのです。
ご起立の上、全員で手をつないでいただき、この2人に言葉を届けたいと思います。
……。
『おめでとう！　いつまでも幸せに！』とご唱和願えますでしょうか。
それでは、せーの！
『おめでとう！　いつまでも幸せに！』
お2人の末永き幸せをお祈り申し上げまして、私のあいさつとさせていただきます。
本当におめでとうございます！」

このように、あくまで披露宴では暗い話は避けて、明るい声で場を盛り上げましょう。
また、最後に示したように、全員を巻き込んでの唱和というのは、なかなかない締め方だと思います。実際に、生徒さんに試してみてもらったところ、うまくいった！一体感ができた！　などの感想をいただいています。

真剣に相談しても、ちゃんと聞いてもらえません……

家族、友人、恋人。悩みを相談しようと思っても、ちゃんと聞いてもらえない。多かれ少なかれ、誰もが経験があるのではないでしょうか。

2つのポイント

こうしたときの対処法としては、**何よりも場づくりが大切**です。

ポイントは2つ。**「前置き」と「時間」**です。

まず、「真剣に相談したいことがあるんだけど」と前置きを入れましょう。自分にとっては深刻な内容だから、真剣に聞いてもらえるに違いないというのは、手前勝手な思い込みです。いきなり相談内容を話し始めても、相手にとってはどれくらい深刻な内容かわからないわけです。

「これから受験なんだけど、迷ってるんだよねー。文系がいいか理系がいいか、なかなか決められないんだよねー」

こう聞いても、相手は「フーン、なんだか迷ってるんだなー」程度にしか思えません。では次のような言い方であればどうでしょう。

「受験のことで真剣に相談したいことがあるんだけど……」

身を引き締めて聞いてあげようという気持ちになるのではないでしょうか。

次に、時間を確保してもらうようお願いしましょう。真剣に相談したい話なら、ある程度まとまった時間を取ってもらわないといけません。

「真剣に相談したいことがあるんだけど、落ち着いて話せる時間が欲しい。いいかな」

ほかにも「ちょっと話が長くなりそうだから、1時間は見てほしいんだけど」など、あらかじめ時間がある程度かかると伝えることで、相手には「真剣な相談をしたいんだな」と伝わります。

面白い話をしても、誰も笑ってくれません……

面白い話をしても、誰も笑ってくれない。そんなときに試してほしいポイントがあります。ネタが面白くないから笑ってもらえない、と思っている人が多いでしょうが、そうとは限りません。もちろんネタが理由の場合もありますが、話し方で大きく変わってきます。

面白そうに話す

まずは面白そうに話すということです。自分自身が面白そうに、楽しがって話そうとするだけで、相手は面白い話をしているんだという気持ちで聞いてくれます。

テレビ番組「人志松本のすべらない話」を見たことがあるでしょうか。芸人のみなさんは面白い話で笑わせてくれますが、彼らの話を文章に書き起こして読んでも、そこまで面白くないはずです。**本人が面白そうに話しているから、こちらも面白い話な**

んだと聞く気になるのです。

「しーーーん」

では、もし面白そうに話をして、まったくウケなかったら。保険として知っておくと便利なテクニックがあります。

面白い話をして場がしーんとしたら、ひと言。**「しーーーん」**。あるいは、「まったくウケませんでした!! この前同じ話をしたら大爆笑もらったんだけどなーーー。おっかしいなーーー」と大きな声で言ってみる。すべったこともネタにしてしまうのです。ほかにも「はい！ ここ笑うところです！」もありです。

ディテールとセリフを入れる

まずは次の例を読んでみてください。

●例1

電話を取ると先方がすごく怒っていて、すぐに事務所まで来るように怒鳴られたんです。急いで車で行ったら、2人の男が立っていました。

奥から声が聞こえて、中に入りました。太った親分らしい人が、手にコーヒーを持って座って飲んでいたんです。恐くて帰りたくなりました。

●例2

電話を取ったら「こら！　すぐに事務所こんかい!!　頭かち割るぞ！」って怒鳴られたんです。「やばい！　えらいことになったー！」って先方の事務所まで車ぶっ飛ばして行きました。

そしたら子分みたいな人が2人、入り口に立っているんです。1人は顔に刀傷みたいなのが10カ所くらい。もう1人は顔に絆創膏10枚ぐらい、ペタペタと貼ってるんです。手にはなぜか木刀持ってます。

「ひえー!!　何これ！　事務所ってほんまもんの事務所やーーーん」って、超ビビッておしっこちびりそうになりました。

そしたら奥からドスの効いた声で、「はよ入ってこんかい!!」って怒鳴り声が聞こえてくるんです。

（やばい！　殺される！　やばい！　やばい！　やばい!!）

逃げようと思ったんですが、絆創膏ペタペタ兄さんと、刀傷兄さんの２人がガードしていて逃げられません。

（あかん！　逃げられへん。ええい、ままよ！）と中に入ったら、正面にソファーがあって、そこにケビン山崎氏が５倍太ったみたいな親分が座って、こちらを睨み付けているんです。

（ひえー！　やばい！　どーしよ!!）

しかも、なぜかアイスカフェラッテを両手で包み込むように持っているんです。その上ストローくわえて、かわいらしく乙女みたいにチューチュー、チューチュー飲んでいるんです。

マジ、笑いそうになりましたが、笑ったら殺される。でも、面白すぎる絵面。怖い、笑える、怖い、でも笑える。

僕はどうしていいかわからず、思わず「カフェラッテって、おいしいですよねー」

とどうでもいいことを聞いてしまいました。

するとと親分の顔色がサッと変わって、怒鳴ったんです。

「あほかーーー!! 何がカフェラッテじゃーーー! そんなしゃれた名前ちゃう!! これはな、コーヒーやがな」

場が凍り付きました。


これは私の保険会社時代の体験談なのですが、本当に怖かったです。

どうでしょうか。例1より、例2のほうが面白かったのではないでしょうか。

ではなぜ後者のほうが面白かったのか。その理由は次の2つを意識して話をしているからです。

①ディテールを伝える
②セリフを入れている

「2人の男の人が立っていた」より、「2人の男の人、1人は刀傷だらけ、もう1人の顔には絆創膏10枚」のほうが、その現場をイメージできることがわかると思います。加えて、**セリフを入れることでさらに臨場感を高めています。**さらに相手のセリフだけでなく、自分の心の声も再現しています。

脳はイメージと現実との区別は付かないといわれています。ディテールを伝えることで臨場感のある話ができるのです。

まとめると、話を面白くしたいなら、面白そうに話すということ、ディテールを話すということ、セリフ（相手のセリフだけでなく、心の声も）を入れることを試してみてください。そこまで面白くない話であっても、面白く話せるようになります。それでもダメなら「しーーーん」で乗り切りましょう。

初対面の異性に気に入られる方法はないですか？

そんな虫のいい話はありません！　と言いたいところですが、実はあります。少し長くなりますが、ご紹介していきます。異性に限らず役立つ手法なので、ぜひ試してみてください。

好かれる人、嫌われる人の話し方

相手に気に入られたいなら、嫌われる話し方とセットで覚えておくといいでしょう。人に好かれる話し方、嫌われる話し方とはどんなものでしょうか。ここでは6つのポイントで説明していきます。これらを押さえることで、「あの人と話しているとなんだか気持ちが軽くなる」「あの人の話はいつまで聞いていても飽きない」と思われるようになります。

●①好かれる人は声のトーンが明るく、嫌われる人は暗い

暗い声は相手の気分まで下げてしまいます。相手が明るい話をしているのに、暗い声で相槌や返事をすると、ノリが悪い人という印象も与えてしまいます。

反対に、明るい声のトーンで話す人は相手に好かれます。聞いているだけで気持ちが明るくなり、相手も気持ちよく会話ができます。

ドレミファソの「ソ」や「ラ」の音で話すと声のトーンが明るくなるともいわれますが、そんなに難しく考える必要はありません。初対面の人と話すときは、**最初の1分間、いつもより明るく高めの声で話す**。これだけ意識すればオッケーです。1分を過ぎたら、普段の自分のトーンで話しても構いません。

ただし、１つだけ注意点があります。どんな話でも明るければいいというわけではありません。明るい話題の話をしているときは、明るく。逆に暗い話題のときはトーンを下げるというように、話題に合わせて調整してみましょう。

●②好かれる人は滑舌よく、嫌われる人は噛みながら落ち着きなく話す

聞き取りやすい声は、好かれる話し方の大きなポイントです。聞き取りやすい声で

話すことは、相手に対する思いやりであるとも言えるでしょう。逆に集中しないと聞き取れない声は、相手にストレスを与えてしまいます。

クリアな声で滑舌よく話すことで、聞き取りやすい話し方になります。まずはゆっくりはっきりと話す意識を持ちましょう。それだけでも落ち着きのある声になります。その上で、母音を意識して話すと滑舌よく、聞きやすい声になります。

例えば、「はじめまして」という言葉をローマ字にすると、

HA／JI／ME／MA／SHI／TE

になりますが、それぞれの母音をしっかりと発音するイメージで話してみると、聞き取りやすい声に変化します。

HA、／JI、／ME、／MA、／SHI、／TE、

これは早口防止にも役立ちます。

●③好かれる人は適切なボリュームで、嫌われる人は独りよがりな音量で話す

相手にとって心地よい声の大きさで話しましょう。大きすぎる声は、相手に威圧感を与えます。また、小さくボソボソ声で話すと自信のなさを感じさせます。

ちょうどいい音量がどれくらいかは、一概には言えません。大勢の前ではクリアで大きめの声、お店などで静かに話したいときは小さめの声と、相手や場に合わせることが大切です。

音量の調整が難しいと感じる人は、素直に相手にこう聞いてみましょう。

「声のボリュームってこれくらいでいい？　うるさかったり、小さすぎたりしない？」
「声が小さいって言われるんだけど、そのときは遠慮なく言ってね」
「声が大きくなりすぎることがあるから、そのときは言ってね。注意するから」

先に伝えておくと、相手も余計な気を使わなくて済みます。

●④好かれる人はわかりやすい言葉で、嫌われる人は専門用語で話す

好かれる話し方ができる人は、相手のレベルに合わせて言葉を選んで話します。

限られた業界で使われる専門用語は、意味が通じる相手には使っても問題ありませんが、相手が理解できるかわからないときは使わないほうが無難です。相手も、その

意味を聞くのに勇気が必要ですし、勉強不足だと思わせてしまう恐れもあります。

例えば、ちょっとカッコいい（と本人だけが思っている）カタカナ語。コンバージョン率、フロントエンド、バックエンド。マーケティングで使われる言葉ですが、私自身、ボイストレーナーを始めたときにはまったく理解できず、スクールの経営に携わって初めてわかりました。最初はこれらの用語が頻発するセミナーでは、何を言っているか理解できなかった記憶があります。

ちなみに、ここで例とした専門用語の意味は、次のとおりです。

・コンバージョン率→成約率
・フロントエンド→無料お試し商品
・バックエンド→本命商品、イチオシ商品

⑤好かれる人は相手の話を遮らず、嫌われる人は最後まで聞かない

人は自分のことをわかってもらいたいと思う生き物です。相手の話を最後まで聞かないのは、好かれる話し方とは言えません。**相手が話し終わるまで待ってから、自分**

の話をしましょう。相手が言いたいことを言い尽くしてから話したほうが、相手はしっかり話を聞いてくれます。

自己PRしたいという気持ちを抑えて、相手の話を聞きましょう。相手のほうから自分のことを質問するまで待つくらいの余裕が大事です。

●⑥好かれる人は相手の話を否定せず、嫌われる人は否定言葉を使う

特に初対面で話す場合は、相手の話を肯定的に受け止め、肯定的な言葉掛けをしましょう。どんな人でも、自分の話を否定されたら、いい気持ちはしませんよね。

話すときに**「でも」「ていうか」「だって」「そうじゃなくて」という否定語で返してしまう癖のある人は気をつけましょう。**これらの言葉を使うと、たとえあなたにそのつもりがなくても、相手は自分のことを否定されたと感じます。相手の話はいったん「そうですね」という肯定の言葉で受け止めましょう。

ただ、否定語が癖になっているとなかなか気付けません。**不安な方は一度会話を録音して聞いてみるのがおススメ**です。自分では気付かない言葉の癖が見えるはずです。

〃呼吸ペーシング〃

初対面の、特に異性と話をするときは緊張してしまう。そんな人におススメなのが、心理学の手法〃**ペーシング**〃です。無理なく相手と仲良くなることができます。

ペーシングとは、表情、身振り手振り、話し方のスピード、声の高さ、音量などを、相手と鏡のように合わせる手法です。その結果、相手の無意識は一体感を感じるといわれています。ただ、実際やってみるとわかりますが、難しい手法です。私も初対面の生徒さんの緊張を和らげるのに役立つのではと試してみたことがありますが、相手の動きに気を取られ、話の内容が頭に入ってきませんでした。

そんなときに、ある1つの行動にのみフォーカスしてペーシングしてみたところ、自己開示が苦手で深い悩みを抱えた生徒さんでも口を開いてくれました。そうしてどんどん自己開示して、結果的に深い悩みを解消できました。

それが〃**呼吸ペーシング**〃。呼吸を合わせることだけに集中したペーシングです。

呼吸は目に見えないので難しく感じるかもしれませんが、相手の肩、特に鎖骨の辺りをみれば呼吸の様子がわかります。リラックスしているときは、自然にゆったりとした息使いになります。逆に、焦っているときは浅い呼吸になります。**相手の呼吸に合わせることで、意識しなくても声のトーンや大きさ、スピードもペーシングできるようになります。**結果的に相手も違和感なく受け入れてくれるようになります。

この方法を合コンやパーティーなどで応用してみましょう。

初対面での会話は、自分だけでなく、相手も相当緊張しているはずです。特に相手がおとなしいタイプで、呼吸も弱い感じなら、無理に明るく元気に話そうとするよりも、呼吸ペーシングをしてみてください。

呼吸ペーシングを続けていく中で、徐々に気の合う感覚になっていくはずです。

合コンや飲み会で話を盛り上げられません……

本書を手に取ってくださっているのは、声や話し方に不安のある人だと思います。合コンや飲み会の場が苦手な人も多いかもしれません。「楽しく話をできたらもっと盛り上げられるのに」と思っても急なキャラ変は難しいし、怪しいと思われないかと心配でしょう。

私のレッスンに来る生徒さんでも、合コンや飲み会が苦手な人が多いのですが、その場にどんな感じで参加しているか聞いてみたところ、次のような答えが返ってきました。

・相手の話を聞いて、うなずいて聞き役に回っている。
・急に話を振られると、ドギマギして落ち着いて話せなくなる。
・変に思われないようにと考えると、緊張してしまってうまく話せず、後で自己嫌悪に陥る。

目立つためには、自分を一生懸命アピールすることが大事。そのために大声で話す必要があると思われるかもしれませんが、そんな考えはきれいに捨てましょう。いまのままの自分でも、上手に合コンやパーティーを盛り上げて、かつ一目置かれる存在になる方法があります。

会話を回す人になる

それは、**「会話を回す人」になる**ということです。あるトピックで話が出たら、それを「○○さんはどう?」「△△さんは?」「□□君は?」と答えを促していきます。そうして自分の意見や考えは最後に言います。

「会話を回す」役に徹することで2つのメリットがあります。

1つ目が**大きな声で盛り上げようとしたり、大きなリアクションをしたりしなくてもいい**ということです。場の盛り上げ役になるために、派手なパフォーマンスをする必要がありません。自然体でいいのでとても楽です。

もう1つは、この役割を担うことで、**サービス精神の行き届いた、リーダーシップ**

も見られます。

や主体性のある人に見られるということです。かつ謙虚さも持ち合わせているように

また、全員が話した後に自分が最後に話すという順番だと、ほかの人の話を聞きながら、自分はどう話そうかなと、ある程度準備ができるという利点もあります。

注意点は3つ。**「平等」「安全」「謙虚」**です。

例えば男女2対2の4人で合コンをするなら、1人だけに長々と話をさせるのではなく、全員が話をできるように、平等に時間を取るようにしましょう。

話題にもよりますが、目安は30秒から1分程度です。例えば、「好きな趣味は?」という話題なら、

自分「好きな趣味って何かな? ○○さんは?」
○○さん「私はテニスが好きで――」
自分「そうなんだー。△△さんは?」
△△さん「私は――」

自分「面白いねー。□□君は？」
□□君「僕は――」

このように、平等に話を振っていきましょう。

次に安全です。話す内容はヘビーな話、例えば「失恋話」「メンタルの話」「宗教の話」は避けましょう。**安心して話せる他愛のない話で十分**です。

最後に謙虚。場を仕切っている、マウントしていると思われないように謙虚な姿勢で臨みましょう。**ほかの人が30秒程度で話しているなら自分は20秒程度で切り上げる。相手が話しているときは、きちんと体をそちらに向けて、目を見て話を聞く。**

これだけで、あなたは主体性、リーダーシップ力、ファシリテーション力、共感力、場を盛り上げる能力を持つ人に見えてしまいます。

第4章

いざというときに使えるテクニック

さまざまな場面で訪れる、予期せぬ出来事。
瞬時に対応することがうまくできず、
困ったり、後悔したりすることも
多いのではないでしょうか。
最終章では、より瞬発力が求められる
シチュエーションを設定。
あらかじめ対処法を知っておくことで、
慌てずに対応できるでしょう。

「会議で意見を求められたとき」

急に意見を求められたとき、スッと答えを言えればいいのですが、緊張で焦ってうまく言葉が出てこないときもあると思います。

そんなときに、やってはいけないのが、こんなことです。

・「え？」っと、びっくり顔で固まってしまう。
・「なんでいきなり話を振るの？」とうらめしそうな顔でボソボソと話し出す。

これではあなたの評価を下げるだけ。完璧な答えが言えない場合でも、言葉を尽くして、乗り切る方法はあります。また話しているうちに何かしらアイデアも出てくるかもしれません。そんなときは、次の言い方でかわしてみましょう。

もう少し情報があれば答えが出せそうなときの答え方

「申し訳ありません！　いま、考えがまとまっていません。まとまり次第、何かしら伝えさせていただきます。そのためにも、いくつか質問したいのですが……」

スッと答えが出てこないことに対して、**まずは断りを入れます**。その上で、無理に答えようとするのではなく、**答えを出すために必要な情報を収集するモードに意識を切り替えましょう**。つまり、なんでも完全に回答しようとする姿勢そのものが、ＮＧだということです。

そもそも答えが出る可能性が限りなく低いときの答え方

「この件に関しましては、まったくの不勉強で申し訳ありません。いまお答えできる回答を持ち合わせておりません。少し時間をいただいてから回答したいと思います」

自分には答えられないという意思をはっきり見せましょう。大切なのはボソボソ言わないことです。**堂々と伝えたほうが、逆に評価は下がりません。**

話を聞いていなかったときの答え方

そもそも、話を聞いていないから、答えられないというときもあると思います。

ここでのポイントは、身内の会議などの場合と、大切なクライアントとの場合では、対応の仕方を変えたほうがいいということです。

身内の場合は、素直に謝ります。

「すみません！　聞いていませんでした！　もう一度お願いします!!　すみません!!」

多めに見てもらえそうな場合なら、変に取り繕うよりも、謝罪の気持ちを素直に言葉に出すほうが賢明です。

一方で、大切なクライアントとの会議でそんなことを言おうものなら、「弊社と真剣に取引する気があるのですか?」と厳しくつっこまれてしまいます。そうした場合は、「すみません!」に加えて、**申し訳ないという気持ちを行動で示す**ことが大切です。

「恐れ入ります。先に案件をまとめていて、いまのご質問を聞き漏らしてしまいました。申し訳ないですが、もう一度質問内容をうかがってもよろしいでしょうか」

その際、**メモ帳とペンを手に持って準備**します。次は真剣に話を聞くという態度を相手に見せるのです。この態度によって、反省の気持ちと、その失敗に対して前向きに解決していこうという気構えを訴えることができます。

「言いたいことを言えないとき

前項では会議で急に話を振られたときの対処法を紹介しましたが、言いたいことはあっても、その場の雰囲気で言いづらいこともあると思います。

間違った意見を言ってしまうのが怖いときの対処法

「このタイミングでいいのかな」「間違ったことを言ったら笑われるかな」と考えているうちに、何も言い出せなくなってしまう。こうした場合は、「クッション言葉」を使いましょう。自然に相手を尊重する柔らかな口調になり、言い出しやすくなる効果も期待できます。

「また検討外れなアイデアなら申し訳ないのですが……」
「これが正解とは限らないのですが……」

ポイントとして、**笑顔&大きな声**を心掛けましょう。その姿を見たほかの人も、こんなアイデアでいいのかと思えることでハードルが下がり、議論が活性化します。

反対意見を伝えたいときの対処法

相手の意見に反対したいとき、無駄に相手の気分を悪くする必要はありません。シチュエーションによって話し方を変えましょう。

●自分が相手より下の立場の場合

「反対です。賛成できません」など、語感の強い言葉は避けましょう。対立が深まってしまうこともあります。**賛成、反対のどちらかしかないのではなく、ゴールまでの道のりの1つとしてお互いの考え方がある、**という視点を持ってみましょう。

その表現として**「アイデア」や「提案」という言葉を使う**と、前向きの意思が感じられて、聞く側もいったん受け止めようという気持ちになります。

「私の提案を聞いていただけますでしょうか」

「1つアイデアがあるのですが、お時間頂戴できますでしょうか」

まずは許可を得ることがポイントです。許可を得てから話すことで、さらにスムーズに聞いてもらえる効果があります。

●自分が相手より上の立場の場合

部下からの意見が検討外れであっても、まずは「ありがとう」と伝えましょう。

「時間を取って考えてくれてありがとう。○○についてはとてもいい意見だと思う。△△については、もう少し具体的なプランを考えてきてほしい。

「なるほど。ありがとう。私のアイデアも聞いてくれるかな。君の意見を知りたい」

間違っているからといって、頭ごなしに反対すると、自分で考えられない部下に育ってしまいます。成長を促す伝え方をするだけで、自立した部下が育っていくのです。

●一部賛成、一部反対の場合

賛成意見と反対意見がある場合には、同列の関係で伝えます。

「はい。——については同じ意見です。

——については反対です。というのも——」

反対の意見を言う場合でも、**まずは賛成意見を笑顔で音量アップ、高めの声で伝える**のがポイントです。一方で、反対意見の部分についても、そのまま同じようなテンションで伝えてみましょう。変に声を低くすると、反対している=怒っている、バカにしていると受け止められてしまうこともあり、後々厄介です。

相手の名前を思い出せないとき

目の前にいる相手の名前、喉まで出ているのに……。でも聞くのも失礼だし……。
こんなこと、よくありますよね。

覚えていないことを正直に打ち明ける

まだ1回や2回程度しか会ったことがない間柄の場合は、正直に打ち明けましょう。
素直に言えば、それほど悪い印象は与えません。

「申し訳ありません。実は名前を覚えるのが大の苦手なんです。すみません。もう一度お名前をおうかがいできますか？」

この頼み方には大切なポイントが2つ含まれています。

1つは冒頭に「申し訳ありません」、お願いの前にもう一度、「すみません」と、**2回謝っている**点です。

人は弱い立場の人や、不利な状況に追い込まれている人を見ると、無意識に「助けたい」「応援したい」という感情が湧いてくることがあります。このことを心理学用語で**〝アンダードック効果〟**といいます。

もう1つ、「名前を覚えるのが大の苦手で」と理由を入れている点もポイントです。

『影響力の武器』（ロバート・B・チャルディーニ著）という本で、ある実験が紹介されています。

ハーバード大学のエレン・ランガー教授は、学生の協力者に、コピー機の行列に割り込んでもらうようお願いしました。

第1のグループは、「すみません、5枚なんですけど、とても急いでいるので、先に取らせてください」と論理的に正当な理由を言って割り込もうとします。

この場合、94%の確率で列に入れてもらえました。

第2グループは「すみません、5枚なんですけど、先に取らせてください」と理由を述べずにお願いするパターンでした。

この場合、成功率は大幅に下がり、60％になりました。

第3グループは「すみません、5枚なんですけど、コピーをしないといけないので、先に取らせてください」と「理由らしきもの」を伝えてお願いしました。

少し考えれば論理的なお願いになっていないことがわかりますが、成功率は93％。論理的に正当な理由付けがなされている第1グループと遜色（そんしょく）ない結果となりました。

この実験からもわかるように、論理的であってもなくても、**理由を伝えるだけで相手の心象を悪くしづらい**効果があります。

ほかに、よく知られているのが、田中角栄（かくえい）元首相のように、「君の名前は？」と聞いて、「鈴木です」と答えた相手に対し、「馬鹿者、下の名前を聞いているのだ」と言って、フルネームを聞き出す方法があります。

あるいは、何かしらのＳＮＳの話題を出しながら、例えばお互いのフェイスブックを見せ合って名前を確認する方法。「最近電話の調子が悪くてリセットしたら名前が消えてしまったんで」と、再登録をお願いする中で、名前を確認する方法などがあります。

ただ、こうした方法はちょっとわざとらしい雰囲気になってしまい、相手に「この人、名前を忘れたから聞き出そうとしているな」とばれてしまう可能性もあります。

そうしたリスクを取るよりも、正攻法で聞いてみることをおススメします。

「急にスピーチを振られたとき」

スピーチをいきなり振られたときって、焦りますよね。

何かの打ち上げ、歓送迎会などなど。「それでは突然ですが、○○さんからひと言お願いします」なんて突然振られたら、「聞いてないよ！　突然すぎるよ！」とビクッとしてしまいます。さらに大勢の前だと、緊張で余計に頭が真っ白になってしまって言葉が出てこない。そんな恥ずかしい経験をした人も多いのではないでしょうか。

そんなときにやってはいけないのが、言い訳や、恨み節です。これをしてしまうと場の雰囲気が悪くなってしまいます。

「いきなり話を振られてしまって、頭が真っ白で、何を話したらいいかわからないのですが……」

「緊張しているのでうまく話せませんが……」

など、**言い訳や恨み節は「めんどくさいやつ」「ヘタレ」と自己アピールしているようなもの**です。聞く側にとっても気持ちのいいものではありません。話を振った人も、何か悪いことをしたのかなという気持ちにさせられます。

時間を区切る

まずどれくらいの時間を使っていいのか、**最初に時間を意識**しましょう。

長いスピーチなら、事前にお願いされるはずです。突然振られるのであれば、「ひと言お願いします」といった短い時間の場合でしょう。せいぜい15〜30秒。長くても、1分で終わらせる話だと割り切りましょう。

話を膨らまそうとするのではなく、そぎ落としてシンプルに。そもそも、いきなりスピーチを振られる場面なら、準備ができていなくて当然です。聞き手も深イイ話など期待していません。

「1メッセージサンドイッチ法」

その上で次の方法を試してみてください。

冒頭、短い言葉で、インパクトのあるメッセージを1つ大きな声で届けます。その次は過去の出来事を映像化して話し、最後に冒頭と同じ言葉で締めくくります。

例えば、あなたがプロジェクトリーダーで、社内で進めていたプロジェクトが達成された際の打ち上げでは、

「みなさん！　お疲れ様です。まずひと言伝えたいことがあります。本当によくがんばった！　ありがとう！」

まずはここまで言い切ることが大切です。

次は仲間や部下への労いの言葉を述べます。言葉を探すのでなく、いちばん思い入れのある場面を思い出して、それをそのまま言葉にしてみましょう。

「夜遅くまでがんばった日もありました。仕様変更があって中断したこともありました。でも最後まであきらめず、ここまで来ました」

言葉を探して、きちんと論理的に話そうとするよりも、**過去の思い出深い出来事を映像化・イメージ**して話します。そのときに感じた感情もリアルに思い出せて、声に臨場感を持たせることができます。あまり具体的なエピソードまでは必要ありません。ひと言でと言われたのに、話が長くなってしまい、収集が付かなくなったりします。

最後は、もう一度、冒頭で話した言葉を繰り返しましょう。

「最後に、繰り返しになりますが、みんな本当によくがんばった！　ありがとう！」

ひと言と話を振られて、話せる内容はこの程度で十分です。むしろ3分も5分も長々と話をするほうが、聞き手にとっては迷惑です。

普段から、インパクトのあるメッセージ→映像化→最後にメッセージを準備しておくとよいでしょう。いつ話を振られるかなとビクビクすることも減ります。

話したい相手が忙しそうなとき

忙しそうな上司に、「課長、少しお時間よろしいでしょうか……」と話し掛ける。常識的にも思えますが、配慮が欠けています。忙しい人に「少しお時間よろしいでしょうか」と聞いて、「いいよ」と答えさせる。それから「実はこんな困ったことがあって……」と、どれくらい時間がかかるかわからない話を始める。これにイラっとする人は結構います。「少しお時間」の少しが、どれくらいなのかわかりません。

4つの順番で話し掛ける

こうしたときは、「いまよろしいでしょうか」はカット。次の順番で聞きましょう。

①労い言葉
②本題
③欲しい時間
④いつなら時間を取れるか選択を迫る

「忙しい中、申し訳ありません。企画書の内容についてまとめました。5分ほどチェックの時間をいただきたいのですが、いつなら可能でしょうか？」

ポイントはメリハリを付けること。特に、要件と時間については音量を上げてみましょう。具体的には、**カタカナ書きで話すイメージ**です。

「忙しい中、申し訳ありません。キカクショノナイヨウについてまとめました。ゴフンほどチェックの時間をいただきたいのですが、いつなら可能でしょうか？」

こうして話すと、ゆっくり明瞭な声になります。話をスルーされたり、「言った、言わない」のトラブルに巻き込まれたりしやすい人は、ぜひ試してみてください。

話にオチを求められたとき

オチという言葉を使うときには、大きく2つの意味があります。

1つは単なる結論のこと。

これが苦手な人には、さまざまなタイプがいます。オチの感覚そのものがないタイプ。話が長すぎて何を伝えたいかを見失ってしまい、「何が言いたいんだ!」と聞き手をいら立たせてしまうタイプ。とにかく話していること自体が楽しく、快感で延々と話し続けてしまうタイプ。話の本題に入っていかずに、本題の周辺をぐるぐる堂々巡りしてしまうタイプ。

もう一方のオチは、聞き手の予想を上回ったり、裏切ったりする結末のこと。聞き手に笑いや驚きを提供するオチです。

また、男性と女性でもオチの捉え方は違うと言えます。基本的に男性は目的志向型

の会話を好む傾向があります。つまり会話に結論や、目的を求める。一方女性はプロセス思考型の会話を好む傾向があります。会話そのものを楽しみ、結論やその目的に固執しません。双方ともあくまで傾向です。

オチを付けられないときの対処法

●「結局何が言いたいの？」と言われる場合

「結論を先に言うと、――です」

この言葉からスタートするといいでしょう。オチを先に話すことで、「で？　何が言いたいの？」と言われることを未然に防ぐことができます。

●オチに自信がない場合

「オチはない話で恐縮ですが……」

先にオチがないことを伝えてしまいます。話の内容に自信がないので話せない、というプレッシャーから解放されます。

●オチを付けようと思って話し出したが、オチが見いだせない場合

「——です。はい、以上。相変わらずオチのない話ですみませんでした」

これでオッケーです。無理にオチをつくるくらいなら、開き直って明るく話してしまいましょう。

●話しているうちに話がまとまらなくなった場合

どんな話題でもきれいに論理的にまとまった話ができる人は少数です。また多弁な人は、話があちこち飛んでしまって話を収集できない傾向があります。緊張しやすい人は、話しているうちに何を話しているか、頭が真っ白になることが多いでしょう。

そんなときは、こんな便利な言葉で締めくくります。

「いろいろと話をしてきました。少しまとめると――となります」

人はあなたの話を一言一句漏らさず聞いているわけではありません。多くの場合、テレビやラジオと同じように話を聞き流しています。そのため、多少の論理的不整合が話の途中であったとしても、たいていは問題ありません。

ただし、それだけだと「何が言いたかったのかよくわからない」になってしまいます。そこで、**最後にひと言、「これまでの話をまとめると」というフレーズを使います。**そうすると、その後の話を集中して聞いてくれるでしょう。

エレベーターの中で気まずくなるとき

エレベーターの中で2人。仲がいいわけでもない、微妙な距離感の人といるときは、結構なプレッシャーを感じます。黙っていても気が重いし、会話をしてもなぜか続かず、余計に重苦しい雰囲気になってしまいます。

そんなときには、「守り」と「攻め」両方の対処法があります。

守りと攻めの対処法

●①携帯を見ると決めておく（守り重視）

これはエレベーターでの会話がとにかく苦手で、今後もこの悩みを解消できる気がまったくしない人向けの方法です。

知り合いが乗ってくることをあらかじめ予測して、エレベーターに乗る前から携帯を用意しておきます。**エレベーターに乗り込んだらすぐに携帯をチェック**しましょう。

●②先に目を合わせてあいさつする（攻め重視）

①のような対応が嫌なら、まず試してほしい方法です。

こちらから「おはようございます」「こんにちは」「お疲れ様です」などとあいさつします。そこから会話を続けないといけないと考えると気が重くなってしまいますが、会話が目的ではありません。最初にすべきことは、「あなたを認識し、承認していま す」というアピール。つまりあいさつの言葉を届けることです。

そして、その後が大切です。**あいさつをしたら相手の目を3秒くらい、しっかりと見ます**。そうして相手からの反応を待ってください。こちらが待つ姿勢を見せるだけで、不思議と相手のほうから「昨日は遅くまでがんばってたね」「寒いね」「体調どう？」などと返ってきます。こちらからがんばらなくても会話が続いていくのです。

これも事前準備として、乗り込む前からどんな言葉を発するか決めておきましょう

●③あいさつ＋ひと言（攻め重視応用）

あいさつができるようになったら**応用編**として、ひと言加えてみましょう。

「おはようございます。寒いですね」

「お疲れ様です。昨日はごちそうさまでした」

そもそもエレベーターに乗るのはわずかな時間。意味のある会話をするのは無理です。30秒～1分程度の時間の中で話せるのは、あいさつとひと言くらいです。

このとき、無理に話を広げようとする必要はありません。「その服似合ってますね」「痩せました？」「そのかばんどこで買ったんですか？」といった会話は一見有効なようですが、会話のネタ集にもよく登場します。マニュアルに書かれていることを話しているんだなと、相手に勘付かれてしまいます。

それならむしろ、話す内容のジャンルを決めてしまいましょう。例えば天気。天気といっても幅広いですよ。いくらでも出てきます。

「暑いですね」
「寒いですね」
「湿気がすごいですね」
「乾燥していますね」
「長雨ですね」
「どしゃぶりですね」
「台風が来てますね」
「地震がありましたね」

話の内容に迷わなければ精神的に楽になります。すると落ち着いた自分を演出できます。相手からも話し掛けられやすい雰囲気になり、向こうから話を膨らませてくれるでしょう。あとは自然な成り行きに任せます。

最後に、エレベーターから降りるときには、**もう一度相手を見て、「お先です」「ではまた！」「お疲れ様です」などのひと言を添えましょう**。気遣いやサービス精神がある人と思われて、好感度を高めることができます。

相手の話が止まらないとき

一方的に話し続ける人っていますよね。聞いているほうは疲れてしまいます。まず、「**一緒にいると疲れてしまう人＝自分の時間を奪っている人**」と認識することが大切です。その話を聞くことがストレス解消になったり、意味のあるものを生み出すきっかけになったりして、なおかつ自分が聞いてよかったと思えるならいいと思います。でも、大切な自分の時間が削られてしまうのであれば、考えものです。

一方的に話す人への2つの対処法

●①自分の中で聞く時間を決める

相手の話をどれくらいの時間聞くのか、決めてしまいます。その時間が過ぎたら、ニコッと笑って、「楽しかったです。ありがとうございます！」とさわやかにその場から離れましょう。

●② 〝ラポール〟を築かない

〝ラポール〟という心理学用語は、相互信頼の心が通い合っている状態をいいます。うなずく、笑顔でいる、身を乗り出して話を聞こうとする。こうした言動がラポールを形成しやすくし、相手の「話そう」という気持ちを引き出します。

これを逆手に取って、**相手の話を遮りたければ、ラポールを築くような言葉、行動をなくしましょう**。さらに、ラポールを敢えて築かせづらくする言動を取ります。携帯をチェックする。手帳を取り出す。笑顔でうなずくべき内容を、真顔のまま聞く。すると相手の中の、話をしたいという欲求が消えていきます。

これらの方法には抵抗のある人もいると思います。でも、時間は有限です。「大切な時間を奪われてしまう」と感じるなら、こうした対処も必要ではないでしょうか。

目上の相手が何を言っているか聞き取れないとき

上司が何を言っているのかわからない。そんなときのNGが、**「え？」と顔をしかめて聞き返す**こと。自分では気付きづらい癖なので気をつけましょう。「ちゃんと聞いているのか」と怒られかねません。聞き返されることで、「私の声は小さいんだ」と落ち込んでしまう人もいます。

上手に聞き直す３つの方法

●①お詫び&理由付け作戦

「申し訳ないです！　ちょっといま別件でトラブっていて、気が散ってしまいました。もう一度お願いします」

お詫びと聞こえなかった理由を伝えることで、**不快感を与えづらくする**方法です。

●②部分肯定&教えて作戦

「申し訳ありません。○○のところはよく聞き取れたのですが、△△についてもう一度お教えいただけますか？」

聞こえない部分だけを「教えてください」とお願いするのがポイント。相手も**「その部分だけ聞き取りにくかったんだな」と教えてくれる**でしょう。

●③まったく聞こえないときや、何を言っているか理解できないとき

「ごめんなさい。もう一度お願いできますか？」

相手に話してほしい声と、同じ音量、同じスピードで伝えることがポイントです。

そうすることで、**「これくらいの音量でなければ聞こえないんだな」とわかってもらえます**。

「夫（妻）の愚痴が止まらないとき」

夫（妻）の愚痴。1回や2回ならまだしも、毎日続くとこちらも疲れてきます。だからといって、適当に聞き流してしまうと、「話聞いているの？」「バカにしているのか！」と逆ギレされたりします。すると売り言葉に買い言葉で「いつまでもウジウジするな！」「なんで私が怒られないといけないの！」と言い返したりして、取り返しのつかない事態になることも。このままではまずいですね。

元超一流のホステスさんに話をうかがう機会があり、上手に相手の愚痴を聞き流すコツを教えてもらいました。

上手に愚痴を聞く４つのポイント

●①位置取り

まず相手の愚痴を聞くときは、文字通り、寄り添うことが大切。真正面から話を聞くと、毒のある言葉をまともに浴びることになるので、こちらまで心が毒されてしまいます。座る場合でも、立っている場合でも、**相手の横で聞く**ようにしましょう。

●②相槌

きちんと相手の顔を見て、**少し大げさなくらいに相槌を打ってみましょう**。このとき、相手の話が自分の価値観に合わないと思っても、そこはスルー。とにかく聞いてうなずく行為に没頭します。言葉がなくても、自分の顔を見てうなずいてくれるだけで、「わかってもらえている」「認められている」という承認欲求が満たされます。

●③オウム返し

相手の愚痴をそのまま繰り返します。

「部長はいつも反対意見ばかり言う。まったく話が通じない。ムカつく！　オレがどれだけがんばってるか、あいつはわかっていない！」

「そりゃ、腹が立つよね。わかっていないね」

「こんな仕事辞めたい。自分には無理だ。イヤになった」

「イヤになったんだね。無理なんだね」


愚痴に対して、いきなりアドバイスをしても意味がありません。たとえ夫婦であっても、相手の事情は相手にしかわからないものです。相手はただ不満のはけ口として、あなたに言葉を吐いているのであり、具体的なアドバイスを求めてはいないのです。

●④労い言葉

愚痴ってしまうのは、目の前の問題に真剣に取り組んでいるからです。結果が思うようにいかない。自分の価値を認められていないと感じる。それに対していら立ちの感情が芽生え、愚痴るという行動に表れるのです。

ひと通り愚痴を言うと、幾分冷静になるはずです。そこで「**あなたは十分がんばっている」ということを言葉にして伝えてあげましょう**。それが相手にとっての救いになります。

「そう感じるのは、がんばってる証拠！　あなたはすごくがんばってると私は思う！」

「君に能力があるから頼りにされているんだね。だからみんな甘えちゃうんだよ」

ここで１つポイントがあります。

おへその下に「丹田」という場所があります。話を聞くときは真横でとお伝えしましたが、**労い言葉を伝えるときは、丹田を相手に向けるように位置を修正**してください。

東洋医学では丹田からエネルギーが湧き出るといわれます。体の向きを変え、丹田を相手に向けて言葉を届ける。このひと手間だけで、真剣に話を聞いているのだというメッセージになります。そうして話を聞くうちに、相手は前向きになっていくでしょう。

おへそから指３本下が丹田

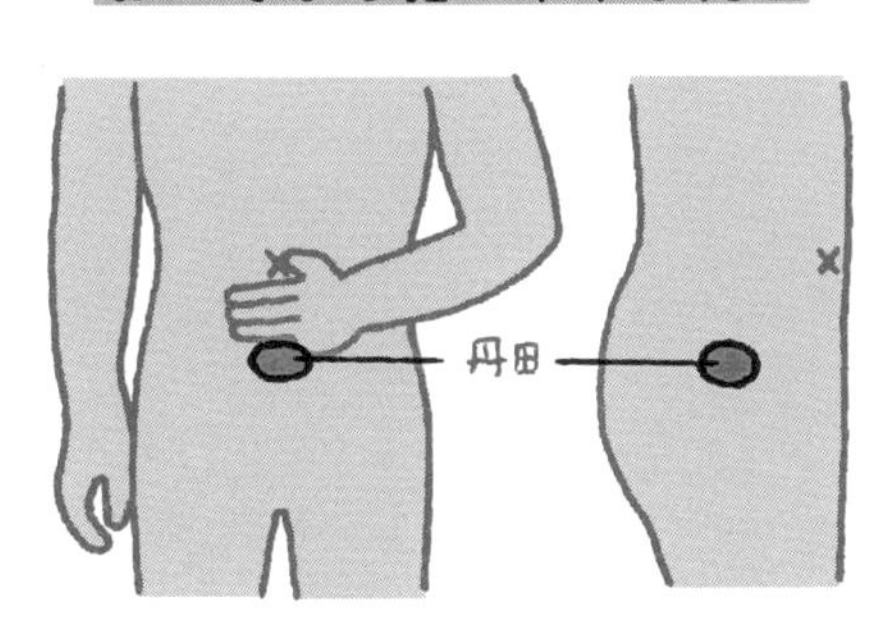

「子どもの駄々が止まらないとき

子どもがイヤイヤ期で言うことを聞かなくなった、口答えしてくる。それを成長過程の一環として受け止めるか、無理にでも言うことを聞かせるか。悩みどころですね。

人は無意識に行動を選択しているように見えて、その先に何かしらのメリットを見出すからこそ、その行動を取るものです。例えば、アルバイトをがんばる→店長に褒められる→もっとがんばる→時給が上がる→もっとがんばる、というように、がんばることでメリットがあると予想できるからこそ、がんばることができます。

これは子どもも同じです。おもちゃ売り場に行く→欲しいおもちゃがある→床に寝て手足をバタバタしながら、駄々をこねて泣き叫ぶ→親は周りに恥ずかしい、迷惑を掛けると思い「今回だけよ」とおもちゃを買い与える。

すると、**子どもは泣き叫べば欲しいものが手に入ると考えます**。つまり、反抗することにメリットを見出すのです。

低音無表情スローボイスで放置

こうした場合、**無表情に「買わない」と低音の声でゆっくり伝えましょう**。理由は必要ありません。「今度１００点取ったら」という交渉も必要ありません。ただ「低音無表情スローボイス」で放置するだけです。声の高い人は、無理して低い声を出さなくても、無表情でゆっくりと話すことで自然と低音になります。

子どもが泣き叫ぼうが、寝っ転がろうが、無視します。**何をしても買ってもらえない。この状況は変わらない。つまりメリットは得られないということをわからせます。**

普段、子どもには笑顔で接してあげてください。でも、ここぞというときには低音無表情スローボイスでの「買わない」を。これは効きます。大声で怒鳴らなくてもいいので、こちらも消耗しません。「今回だけは買ってやろうかな」と感じてしまうかもしれませんが、そうして後で苦労するのは、自分と子どもなのです。

落ち込んでいる友達を励ましたいとき

普段は明るいのに、最近落ち込んでいる友人。でもその理由がわからない。どう言葉を掛けていいか、迷ってしまう。

そんなときは、「どうしたの？　仕事でミスでもしたの？」「彼女とまたケンカしたの？」といった、**クローズド（イエスかノーで答えを強制する）な質問は避けましょう**。

クローズドな聞き方は事実確認をするのには便利ですが、心理状態が不安定な相手に対して、励ましたり心を和らげたりする場面においては、向いていません。

落ち込んでいる相手に対してまず必要なのは、感情レベルが少しでも上向きになるような言葉掛けです。何が問題かを決め付けてしまうと、人の気持ちに土足で踏み込んでくる無遠慮な人だと思われてしまうかもしれません。

特に、**エネルギーレベルが高い人がやってしまいがちなのが、「元気出せよ」「過ぎたことを気にするな」と明るいトーンでアドバイスしてしまうこと。**落ち込んでいる相手では、心理的乖離(かいり)感や、距離感をさらに深めることになります。結果的にさらに落ち込んでしまう可能性もあります。

もちろん、相手との普段からの関係性がしっかりとできていて、経験的に元気付ける言葉が効果的だとわかっている場合はそれでも構いません。でも、微妙な距離感の相手や、相手がどんなメンタルレベルかが推し量れないような場合は、避けたほうが無難です。

またこういう場面で、**大声で「何かあった!?　黙っているだけではわからないよ」と声を掛けることは避けましょう。**デリカシーに欠けた人と思われ、相手が心を閉ざしてしまう可能性もあります。

落ち込んでいる人に効く万能言葉「何かあった？」

こんなときは、ひと言小さめの声で話し掛けてあげましょう。

「なんか元気なさそうに見えるけど何かあった？」
「今日、ちょっと元気なさげだね。どうしたの？」

相手の胸元付近まで届くか届かないかの距離に声を届けるイメージです。こうした言葉が最高の励ましになります。

相手にとって落ち込んでいるという事実は、他人に知られたくないことかもしれません。小さめの声で聞くことで、その点でも気遣っているというニュアンスが伝わる効果があります。

注意点は、「何かあった？」と聞くからといって、**なんとか理由を聞き出して、解決してあげようと考えてしまわない**こと。

ここでの声掛けの目的は、落ち込んでしまった状態に停滞している感情のレベルを上向きに変えてあげることです。**相手がアドバイスを求めてくるまでは、話を聞くことだけに徹しましょう。**

もし、相手が「別になんでもない」「いや、ほっといてくれて大丈夫」と答えたら、それ以上聞き出そうとするのはやめましょう。深追いする必要はありません。「何もないならいいよ。でも困ったことがあったら言ってきてね」と、先ほどの小さな声よりも、少し音量を上げて伝えてみてください。暗に「あなたを見守っている」というメッセージを相手の心に届けていることになります。

「励ます＝元気付ける」と思っている人が多いですが、そればかりではありません。気に掛けているという気持ちを伝える「何かあった？」、見守っているという気持ちを伝える「困ったことがあったら言ってきてね」、こうした言葉でも、十分に相手を励ますことができるのです。

「ヤンキーにからまれたとき」

理由のないことで因縁を付けられる。相手にしないのがいちばんですが、しつこく食い下がってくることがあります。そうした場合、**まともな会話は避けましょう。**

まともに会話しない

● NG例

「おい！　なにメンチ切っとんねん！」

「いえ、そんなつもりは……」

「なんやワシがウソついてるってゆーんかい！」

「いえ、そんなつもりは……」

「なんやなめとんか！」

「いえ、そんなつもりは……」

「その言い方がなめとんねん。ちょっとこっち来い！」

●OK例

「おい！　なにメンチ切っとんねん！」

「なんですか？」

「メンチ切ったやろって言ってるんじゃ！」

「警察で話をしましょう」

「何が警察じゃ！　なめとんか！」

「警察に行って話しましょう」


ポイントは、ゆっくりはっきり、低くて大きな声で伝えることです。高く上ずった声だと、ビビっているのが伝わってしまいます。**重心を丹田に下げて、足の裏から声が出るイメージ**で話しましょう。肚の据わった声を発することができます。

「訪問セールスを断りたいとき」

こちらの迷惑も考えずにやってくる訪問セールス。スムーズに断るためには、相手に期待を持たせないことがポイントです。会話を長引かせることなく、会話の初期段階で断ります。

以前、インターホンが鳴ったので出てみると、「マンションの管理会社を通じて、いま発生しているネットの不具合についてご説明に伺っているのですが」とのことでした。

私は、管理組合の許可を得て、マンション全体で発生しているネットの不具合についての説明をしに来ているのだと理解し、話を聞くことにしました。

そこから15分程度、現在のネット環境、何か不具合が出ていないか、いまどれくらいの費用を払っているか、その他の質問に答えました。ネットに不具合が生じている

なら、現状を答えないと先方もきちんとした対応ができないと考えたからです。

しかし、なかなかネットの不具合の対処法について教えてくれません。その代わり、いまと別の回線を使えばネット接続料が安くなる、といった説明を始めました。

そこで初めて「営業ですか？」と聞いたところ、「そうです」と答えられました。

管理会社を通じてと言っていましたが、実際は委託を受けたのではなく、管理会社に入館の届け出をしていただけでした。ネットの不具合についても、「最近ネットがつながりにくいという声をお客様からいただいている」と言うだけで、マンション事態に障害が出ているわけではありませんでした。

冷静に「営業でしたら結構です。こちらは問題ありませんので」とお伝えしました。その後も自社のサービスについて、説明を続けようとされましたが、帰っていただきました。結局合計20分以上も話すことになりました。

私自身もサービスを売る立場で仕事をしているので、売り手の苦労はわかります。ですので、できるだけ話を聞いてから、購入するかどうかの判断はするようにしています。最初から営業と名乗っていただいていたら、もう少し話を聞いていたと思います。私が思い違いをしてしまったのは悪いのですが、なんだか不信感だけ残る後味の悪い結果となりました。

私は訪問セールスの人に対して話を聞いて断ることに、あまり躊躇（ちゅうちょ）することはありません。でも、読者の皆さんの中には、断るのが苦手な方もいるでしょう。

その場合の対処法をお教えします。

効果絶大の撃退法

怪しい営業と思ったら、心を無にして「営業ですか?」と聞いてみてください。

「営業です」と答えたら、「いまから出掛けるので時間がありません。お引き取りください」と言ってみてください。「1分もかかりませんので」と言われても、「もう出るところなので」と言えばオッケーです。

特定商取引法では、訪問販売はお客様からの「営業ですか?」の問いに対して「営業じゃないです」と答えることは「不実告知」に当たり、違反となります。

もちろん、自分に必要と判断できるものであれば、話を聞いてみてもいいでしょう。

しかし、時間を取れない、訪問販売の応対がそもそも苦手。そんな方は、この伝え方で対応してみてください。

声の使い方としては、どちらかやりやすい方法で答えてみてください。

高めの明るい声で「いまから出掛けるところなので、すみません」。

もしくは**低めでゆっくりとした声で「いま外出するところなので、すみません」**。

二度と来てほしくないときは、「私には不要です。お引き取りください」と伝えてみましょう。

いずれにせよ、長話をすればするほど、断りにくくなります。そもそも相手からの提案が苦手な方は、会話の入り口段階で断ると決めておくとよいでしょう。

また、**断るときは「結構です」「大丈夫です」の言葉は避けましょう**。「結構です＝オッケーです」「大丈夫です＝対応しても大丈夫です」と受け取められかねないからです。

風邪を引いて声が出ないとき

風邪を引いているときには、声を出さないことがベストです。水分を摂って、喉を潤し、栄養を摂って休息を取りましょう。しかし、どうしても声を出さないといけないときもあります。喉に負担をかけない声の出し方を知っておきましょう。

「骨伝導胸震発声法」

ここで紹介するのが**「骨伝導胸震発声法」**です。主に骨伝導の響きを使うことで、低音で落ち着いた声になるため、相手を説得するときなどにも有効です。声帯を意識せずに声を出すことができ、声帯への負担が少なく声が出せるメリットがあります。

胸板に手を当てて、胸板を響かせるイメージで、「あーっ」と10秒間声を出します。

ポイントは**できるだけ低音の声を意識**することです。また、少し離れた人に紙飛行機をそっと投げるイメージで声を出します。いきなり大声を出そうとすると喉に力が入って、かえって声が出づらくなります。**最初はそっと柔らかく、後半に向かって胸板に声が響くイメージ**で声を出しましょう。

10秒1セットとして、3セット練習しましょう。胸板に声が響く感覚を感じられたら、その感覚を再現するつもりで話してみます。楽に声が出せるようになるはずです。といっても、風邪のときは無理は禁物。最低限の会話を乗り切ったら、ゆっくり喉を休ませてあげてくださいね。

胸で声が響くイメージで

「気になるあの人に声を掛けてみたいとき」

いつも通っているカフェのお気に入りの店員さん。声を掛けてみたい。でも怪しい人と思われないか心配。でも仲良くなりたい。

そんなときの方法をお教えします。

怪しまれずに仲良くなる3つのテクニック

●①安全、安心を相手にアピール

自分がまず安全で、安心できるお客さんだと知ってもらいましょう。
そのためにはやはり外見で損をしないことです。おしゃれをしようということではありません。笑顔を見せてください。注文する前に相手の目を見て笑顔。しっかりと相手の顔を見て笑顔で注文。言い終わったらまた笑顔。３回笑顔を見せます。

相手に対して、「あなたに害は加えません」という態度を示します。礼儀正しい、安全、安心な人だとアピールしましょう。

●②回数を重ねて親近感を持ってもらう

心理学用語に**〝ザイエンス効果〟**というものがあります。**接する回数が増えるほど好意度や印象が高まる**ことをいいます。

①でしっかりと笑顔で、礼儀正しく、安心、安全がしっかりアピールできたら、それを継続することが大切です。

ただし、ザイエンス効果のピークは10回。それ以上は何回接触しても印象に変化はありません。**声掛けは10回まで我慢と思って接触を繰り返しましょう。**

●③言葉掛け

10回程度の接触を目途に、言葉を掛けてみましょう。長く話す必要はありません。

「いつもありがとうございます」で十分です。相手との雰囲気にもよりますが、「いつもおいしいごはん、ありがとうございます」など、もう1つワードを増やしてもいいでしょう。

まずは異性として仲良くなるよりも、人と人として徐々に仲良くなっていくほうが、怪しい人とも思われません。

その際は、丁寧語で話しましょう。簡単に言うと「ですます調」で話すということです。急になれなれしくタメ語で話し掛けられたら、相手もびっくりします。

ただ、すべて「ですます」で話す必要はありません。たまに「〜だよねー」「〜だったんだ。大変だね」と言葉を崩して話してみましょう。

また、**効果的なのは相談**です。

相談するなんて迷惑なのでは？　と思うかもしれませんが、人には〝自尊感情〟があります。自分自身を価値あるものだと考える感情です。人に相談されると、「自分は相談されるだけの価値ある人間」だと自尊感情が刺激され、いい気持ちになるのです。

アメリカの心理学者ジョン・グレイも、人に好かれるには相談を持ち掛けて、相手の気分をよくすることだと言っています。相手の気持ちがよくなり、相談をしてくれるあなたにも好意を持ってくれるのです。

相談といっても深刻な話をする必要はなく、まずは「おススメは何ですか？」といったメニューの相談でもいいでしょう。

そこから始めて、少しずつ質問の幅を広げていくとよいでしょう。

「新しい服を買おうと思うんだけど、どんな色が似合うと思う？」
「女性として（男性として）の意見を聞いてみたいんだけど」

いずれにせよ、コツコツと積み上げていくことをおススメします。

あとがき

話したいのに声が出ない。緊張で言葉が出てこなくて、頭が真っ白になる。

私はそれを「話せない呪縛」と呼んでいます。本書は「話せない呪縛」からみなさんを解放したいという思いからスタートした企画です。

本書を通じて、声の出し方を意識し、話すときに何を考え、どのような事前準備をすればいいか理解していただけたでしょう。みなさんの話す力は、驚くほどアップしているはずです。

何か話したくて、気持ちが高まっている方もいるかもしれませんね。その気持ちの高ぶりを感じているなら、「話せない呪縛」からの解放へのファーストステップを歩み始めたことになります。

まえがきにある、本書の最初の言葉を覚えているでしょうか。

「あなたには話す才能がある」


人は感情の生き物です。同時に思考する生き物です。

感情を感じ、思考を巡らせて日々生きていく中で言葉を紡いでいます。

紡ぎだされる言葉や声、話し方は、あなたそのものを表しています。

世界で唯一無二の「声と話し方」を、あなたは持っているのです。


これからすることはただ1つ。

本書で学んだことを、実践の中で試していくこと。それだけです。

それが難しいという声が聞こえてきそうです。しかし大丈夫です。どうしても話せない、声が出ないというときは再び本書を読んで、チャレンジしてみてください。


コツは、一気に身に付けようとしないこと。

あなたには、現在の年齢になるまでに身に付けてきた、自分の考え方、話し方、声があります。習慣であり癖です。

いきなり完璧を目指すと挫折します。過去の習慣や癖は、あなたを元のあなたに引き戻そうとします。

まずは、いまの自分の声や話し方に気付くことからスタートしてください。焦る必要はまったくありません。気になった個所を少しずつ実践していきましょう。忘れてほしくないのは、「必ず変わる」と自分を信じることです。

最後に、編集者の久保木勇耶さんにお礼を申し上げます。

「この人の部下になったら、眠っている可能性を存分に引き出してくれるだろうなー」と素直に思えるご指導！　ありがとうございました。一緒に仕事ができて本当に幸せでした。

また、久保木さんと引き合わせてくださった、ブックライターの上阪徹先生に感謝申し上げます。

そして、本書を手にしていただいたあなたへ。

いつかあなたの言葉と声に出会える日を楽しみにしています。

2020年3月　感謝を込めて

司　拓也

【著者紹介】

司 拓也（つかさ・たくや）

声と話し方の学校「ボイス・オブ・フロンティア」代表。

メンタルボイストレーナー。超短期間で声と話し方が改善する「ポーカーボイスメソッド」を開発。

一般のビジネスパーソンから、上場企業のエグゼクティブ、トップ俳優、声優、アナウンサー、政治家、就活生など、6000人以上の声と話し方の悩みを解決。

セミナーや企業研修のオファーも多数。その活動は、テレビ・ラジオでも度々取り上げられる。

著書に『驚くほど声がよくなる！　瞬間声トレ』（大和書房）、『超一流の人が秘密にしたがる「声と話し方の教科書」』（光文社）、『人前が苦手なら、ポーカーボイスで話せばいい。』（ポプラ社）、『繊細すぎる人のための自分を守る声の出し方』（朝日新聞出版）など多数。

●ボイス・オブ・フロンティアホームページ
https://tsukasataku.com

●司拓也 LINE 公式アカウント
声や話し方に役立つ内容や、無料セミナー情報などを発信しています。
下記 ID を検索するか、QR コードを読み取って友だち登録してください
@ lbn8871j

ブックデザイン　藤塚尚子（e to kumi）
イラスト　朝野ペコ
DTP・図表　横内俊彦
校正　菅波さえ子

99％の人が知らない「話し方」のコツ
「声」と「伝え方」で印象は決まる

2020年4月24日　初版発行

著　者　司 拓也
発行者　野村直克
発行所　総合法令出版株式会社
〒103-0001 東京都中央区日本橋小伝馬町15-18
ユニゾ小伝馬町ビル9階
電話　03-5623-5121

印刷・製本　中央精版印刷株式会社

落丁・乱丁本はお取替えいたします。

ISBN 978-4-86280-739-7

総合法令出版ホームページ　http://www.horei.com/